Worte für die eine Welt

Worte für die eine Welt

Aus den Reden
der Friedensnobelpreisträger

herausgegeben
von Irwin Abrams

Herder

Freiburg · Basel · Wien

Aus dem Englischen übertragen
von Maja Ueberle-Pfaff

Inhalt

Vorwort

In unserem privaten, individuellen Leben sind wir alle auf der Suche nach Helden. Wir alle brauchen Menschen, die wir uns zum Vorbild nehmen können für unser Leben, unsere eigenen Zielsetzungen. Wie können wir ein beispielhaftes Leben führen? Den Maßstab dafür, das Muster, die Richtschnur liefern uns unsere Helden. Wie können wir unsere Träume rechtfertigen? Wie können wir unsere Überzeugungen erproben? Wie können wir uns selbst beweisen, daß das, was uns in der Kindheit beigebracht wurde, wahr ist? Wie können wir unsere Zweifel verringern? Wie können wir in unserem oft schlecht genutzten Leben zum Handeln inspiriert werden, gelegentlich sogar zum Verzicht auf unser unmittelbares Wohlergehen? – Dazu werden wir von Helden inspiriert.

Um die »Helden des Friedens« zu ehren, wurde der Friedensnobelpreis gestiftet. Alfred Nobel hat in seinem Testament festgelegt, daß der Preis für die Organisation von Friedenskonferenzen und für Abrüstungsbemühungen verliehen werden solle, aber auch an Personen, die sich um die »Brüderlichkeit zwischen den Völkern« verdient gemacht haben. Seit der ersten Preisverleihung im Jahre 1901 hat das norwegische Nobel-Komitee diesem zweiten Punkt einen immer größeren Stellenwert beigemessen.

Während die Mehrzahl der frühen Preise an Friedensaktivisten ging, zum Beispiel an Nobels Freundin, die Baronin Bertha von Suttner, wurden später viele Staatsmänner ausgezeichnet. Der erste war Präsident Theodore Roosevelt im Jahre 1906 für seine Rolle bei den Verhandlungen zur Beilegung des russisch-japanischen Krieges. In jüngerer Vergangenheit, im Jahre 1987, erhielt Präsident Oscar Arias Sánchez den Preis für seinen mittelamerikanischen Friedensplan, der seither so viel dazu beigetragen hat, dieser unruhigen Region Frieden zu bringen. Ich freue mich besonders darüber, in diesem Bändchen auch meine Partner bei den Friedensverhandlungen von Camp David wiederzufinden, Menachem Begin und Anwar Sadat, dem es bestimmt war, auf so tragische Weise als Märtyrer für unsere gemeinsamen Bemühungen zu sterben.

Wir finden auf diesen Seiten ganz unterschiedliche Helden des Friedens: Leiter der Rot-Kreuz-Organisationen, deren Arbeit inmitten von Gewalt die Verbundenheit mit den Menschen bezeugt hat, große Menschenfreunde wie Fridtjof Nansen und seine Nachfolger im Amt des UNO-Kommissars für das Flüchtlingswesen, die sich in unserem von Kriegen erschütterten Jahrhundert um die Vertriebenen gekümmert haben; andere, wie Albert Schweitzer und Mutter Teresa, deren Akte der Nächstenliebe von tiefem Glauben inspiriert waren; Kirchenführer wie Erzbischof Söderblom und den Dalai Lama aus Tibet, die betont haben, daß der Friede zunächst im Herzen entstehen muß; Wissenschaftler wie Lord Boyd-Orr und Norman Borlaug, die für den Frieden arbeiteten, indem sie die hungrige Welt durch höhere Ernteerträge mit mehr Nahrung versorgten; andere Wissenschaftler wie Linus Pauling, Jewgenij Tschasow und Bernard Lown, die eine atomare Katastrophe zu verhindern suchten, weil ihre Forschung ihnen sagte, daß diese das Leben auf unserem Planeten beenden könnte; weiterhin Verfechter der Abrüstung wie Philip Noel-Baker und Alva Myrdal, Praktiker der Gewaltlosigkeit wie die Quäker und die ›Peace People‹ aus Nordirland, und Friedensstifter der Vereinten Nationen, wie Ralph Bunche und Pérez de Cuéllar.

Mit Freude habe ich bemerkt, daß der Preis in den letzten Jahren immer häufiger an Verfechter der Menschenrechte vergeben wurde; ihnen ist in diesem Buch ein eigenes Kapitel gewidmet. Zu ihnen gehören Häuptling Albert Lutuli und Erzbischof Desmond Tutu als Gegner der Apartheid in Südafrika; ebenso Martin Luther King, der für die Bürgerrechte aller Nordamerikaner kämpfte und starb; Pérez Esquivel, der wegen seines Eintretens für den Frieden in Argentinien im Gefängnis saß und gefoltert wurde; Andrej Sacharow, der es gerade noch erlebte, daß seine Opfer für die Menschenrechte in der Sowjetunion die ersten Früchte trugen; Lech Walesa, der den Kampf für die Rechte der polnischen Arbeiter anführte; Elie Wiesel, der es der Welt nicht gestatten will, die Greuel des Holocaust zu vergessen, und die Führer von Amnesty International, die die Rechte der politischen Gefangenen auf der ganzen Welt verteidigen.

Wir brauchen viele Arten von Friedensstiftern. Wir

brauchen jene, die sich für die Beendigung von Bürgerkriegen und internationalen Konflikten einsetzen. Wir brauchen aber auch jene, die Wege und Mittel kennen, die Aufrüstung einzudämmen. Höchste Priorität hat die Verhinderung eines atomaren Holocaust.

Gleichzeitig müssen wir uns bemühen, gesellschaftliche und politische Bedingungen herzustellen, die es allen Menschen erlauben, Freiheit und ein Höchstmaß an Glück zu genießen. Ich denke an all jene, die einen gewaltlosen Kampf für die Menschenrechte führen, die gegen Krankheit, Armut und Hunger ankämpfen, die unsere Umwelt zu schützen und zu bewahren versuchen. Doch selbst derartige Bemühungen um eine solide Grundlage für den Frieden sind für sich allein genommen nicht genug. Nobels »Brüderlichkeit zwischen den Völkern«, der Geist der Freundschaft unter den Menschen, muß jeder politischen oder gesellschaftlichen Friedensstruktur zugrunde liegen, wenn sie Bestand haben soll.

Viele der Friedenshelden, die auf den folgenden Seiten zu uns sprechen, haben durch ihre vom Geist der Brüderlichkeit durchdrungenen Taten sehr deutlich zu uns gesprochen. So wie ihr Einsatz für den Frieden uns inspiriert hat, so möge uns diese hervorragende Auswahl ihrer ›Worte des Friedens‹ inspirieren.

PRÄSIDENT JIMMY CARTER
The Carter Presidential Center Atlanta, Georgia
März 1990

Einleitung

1991 ist es 90 Jahre her, seit der Friedensnobelpreis zum ersten Male verliehen wurde. Die Jahre danach waren nicht sehr friedlich. Man könnte sogar sagen, daß das zwanzigste Jahrhundert eines der kriegerischsten Jahrhunderte der westlichen Geschichte war. Alfred Nobel wäre mit Sicherheit enttäuscht gewesen, hätte er das, was in Europa geschah, noch erlebt: zwei blutige Weltkriege und eine Aufrüstung mit unglaublich zerstörerischen Waffen. Haben sich all seine Hoffnungen auf eine friedfertige Welt als Illusion entpuppt? Richtiger erscheint mir die Vermutung, daß Alfred Nobel seiner Zeit voraus war. Lebte er heute, wäre er noch stärker als damals an den Friedensbemühungen beteiligt. Und er sähe, daß die Idee des Friedens heute eine viel breitere Unterstützung erfährt als vor neunzig Jahren – trotz, oder gerade auf Grund dessen, was geschehen ist, seit er sein Testament schrieb.

Frieden ist zunächst die Abwesenheit von Krieg zwischen Staaten. Das bedeutet, daß an die Stelle einer internationalen Weltlage, die von Machtpolitik beherrscht wird, ein internationales System treten muß, das es ermöglicht, Konflikte anders als mit Hilfe von Waffen zu lösen. Es war für Friedensarbeiter stets ein zentrales Anliegen, ein System zu errichten, das auf internationalem Recht und der friedlichen Lösung von Konflikten basiert – ein Ziel, das zwei amerikanische Präsidenten, Woodrow Wilson und Franklin D. Roosevelt, entschieden unterstützt haben.

Die Friedenspreise, die verliehen wurden, beweisen uns jedoch, daß Frieden mehr ist als nur die Abwesenheit von Krieg. Frieden ist auch die Abwesenheit von Unterdrückung und Ungerechtigkeit. Wenn Menschen mit Unterdrückung und Hunger und ohne Hoffnung auf eine bessere Zukunft leben, sind Konflikte unvermeidbar, und Kriege werden wahrscheinlicher. Nur eine internationale Solidarität mit Menschen, die unter ungerechten Bedingungen leben, kann eine friedlichere Welt schaffen.

In späteren Jahren hat das norwegische Nobel-Komittee durch seine Preisverleihungen die Bedeutung der Menschenrechte hervorgehoben. Die Gleichberechtigung der Rassen wurde durch Preise für Albert Lutuli, Martin Luther King und Desmond Tutu unterstrichen. Die Preise für Andrej Sacharow und Lech Walesa brachten den Protest gegen die Unterdrückung der Menschenrechte in totalitären Staaten zum Ausdruck. Es war ermutigend festzustellen, daß das, was in den letzten Jahren auf dem Gebiet der Menschenrechte geschehen ist, in die Richtung ging, die diese Preisträger zu weisen versuchten.

Die Verleihung eines Friedensnobelpreises löst fast unweigerlich Kontroversen aus. Es gibt die unterschiedlichsten Meinungen darüber, welche Mittel der Sache des Friedens am besten dienen. Wenn der Preis einem Streiter für die Menschenrechte zuerkannt wird, hört das Nobel-Komittee häufig den Vorwurf, es mische sich in die inneren Angelegenheiten eines fremden Staates ein. Doch die Menschenrechte sind eine internationale Angelegenheit und betreffen, nicht anders als der Kampf gegen die Armut oder die Bedrohung unserer Umwelt, die gesamte Weltgemeinschaft. Wir bewegen uns mit zunehmender Geschwindigkeit in eine Richtung, die uns dazu zwingt, für die anstehenden Probleme übernationale Lösungen zu finden.

Die Nobelpreisträger verpflichten sich, einen Vortrag zu halten. Dieser Vortrag findet gewöhnlich am Tag nach der Verleihungszeremonie statt. Es ist ebenfalls üblich, daß die Preisträger während der Zeremonie eine kurze Dankansprache halten. Beide, Ansprache und Vortrag, geben ihnen zusammengenommen die Möglichkeit darzulegen, welche Punkte ihrer Meinung nach für den Frieden am bedeutsamsten sind. Diese Überlegungen sind in der vorliegenden Auswahl von Professor Irwin Abrams hervorragend dokumentiert.

Die Bemühungen um den Frieden gehen weiter. Willy Brandt hat uns in wenigen Worten etwas sehr Wesentliches gesagt: »Der Frieden ist so wenig wie die Freiheit ein Urzustand, den wir vorfinden; wir müssen ihn machen, im wahrsten Sinne des Wortes.«

PROFESSOR JAKOB SVERDRUP
Norwegisches Nobel-Institut
Oslo, Norwegen
März 1990

Frieden

Die ewigen Wahrheiten und ewigen Rechte
haben stets am Himmel der menschlichen
Erkenntnis aufgeleuchtet, aber nur langsam
wurden sie von da herab geholt, in Formen ge-
gossen, mit Leben gefüllt, in Taten umge-
setzt.

Eine jener Wahrheiten ist die, daß Frieden
die Grundlage und das Endziel des Glückes
ist, und eines jener Rechte ist das Recht auf
das eigene Leben. Der stärkste aller Triebe,
der Selbsterhaltungstrieb, ist gleichsam eine
Legitimation dieses Rechtes, und seine Anerkennung ist durch ein uraltes Gebot gehei-
ligt, welches heißt: »Du sollst nicht töten!«

BERTHA VON SUTTNER (1905) *

* Die Jahreszahl am Ende jedes Abschnitts und bei den
biographischen Anmerkungen bezieht sich auf das Jahr,
für das der Preis vergeben wurde; gelegentlich verschob
das Nobelpreis-Komitee seine Entscheidung und vergab
den Preis eines Jahres erst im darauf folgenden Jahr. Die
Zitate wurden sowohl den Dankansprachen als auch den
Festvorträgen der Nobelpreisträger entnommen.

Die Anhänger des Alten, des Bestehenden, haben einen gar mächtigen Bundesgenossen im Naturgesetz der Trägheit, im Beharrungsvermögen, das allen Dingen innewohnt gleichsam als Schutz gegen die Gefahr des Vergehens. Es ist also kein leichter Kampf, der noch vor dem Pazifismus liegt. Von allen Kämpfen und Fragen, die unsere so bewegte Zeit erfüllen, ist die Frage, ob Gewaltzustand oder Rechtszustand zwischen den Staaten, wohl die wichtigste und folgenschwerste. Denn ebenso unausdenkbar wie die glücklichen, segensreichen Folgen eines gesicherten Weltfriedens, ebenso unausdenkbar furchtbar wären die Folgen des immer noch drohenden, von manchen Verblendeten herbeigewünschten Weltkrieges. Die Vertreter des Pazifismus sind sich wohl der Geringfügigkeit ihres persönlichen Machteinflusses bewußt, sie wissen, wie schwach sie noch an Zahl und Ansehen sind, aber wenn sie bescheiden von sich selber denken, von der Sache, der sie dienen, denken sie nicht bescheiden. Sie betrachten sie als die größte, der überhaupt gedient werden kann.

Bertha von Suttner (1905)

Die größten Fortschritte früherer Generationen wurden dadurch erzielt, daß die menschliche Intelligenz die Materie in immer stärkerem Maß kontrollierte. Jetzt stehen wir vor einem schwierigeren Problem: es geht um die Anwendung unserer Intelligenz auf die menschlichen Beziehungen. Können wir auf diesem Gebiet keine Fortschritte erzielen, werden vielleicht gerade die Werkzeuge, die der Geist des Menschen geschaffen hat, zu Werkzeugen seiner Zerstörung.

Die Widerstände gegen den Frieden liegen nicht in der Materie, in der unbelebten Natur, in den Bergen, die wir durchdringen, in den Meeren, die wir überfliegen. Die Widerstände gegen den Frieden liegen in den Gedanken und Herzen der Menschen.

NORMAN ANGELL (1933)

Nicht lange vor dem Krieg vertrat ein britischer Kabinettsminister auf einer großen Versammlung in Manchester die folgende bekannte Doktrin: »Es gibt nur eine Möglichkeit, Frieden und Sicherheit zu gewährleisten: wir müssen um so vieles stärker sein als jeder potentielle Gegner, daß dieser es nicht wagt, uns anzugreifen. Dies, so meine ich, versteht sich von selbst.«

Das veranlaßte an die tausend nüchterner Geschäftsleute aus Manchester zu stürmischem Applaus. Die Aussage, der sie Beifall zollten, besagte, daß zwei streitbare Nationen Frieden halten und sicher leben könnten, wenn jede stärker als die andere wäre. Auf den zweiten Blick käme sicher den meisten von ihnen in den Sinn, daß dieses Prinzip jedem Gesetz der Arithmetik widerspricht, aber die große Mehrheit wäre ehrlich erstaunt, erklärte man ihr, daß eine solche Verteidigungsstrategie auch moralisch anfechtbar, ja geradezu unrechtmäßig sei, da sie den anderen das Recht vorenthält, das man für sich selbst beansprucht.

NORMAN ANGELL (1933)

Eine dunkle und schreckliche Seite dieses Gefühls gemeinsamer Interessen ist die Furcht vor einem entsetzlichen gemeinsamen Schicksal, das in unserem Zeitalter der Atomwaffen die Gedanken der Menschen auf der ganzen Welt überschattet. Die Menschen fühlen, daß sie dem selben Schicksal ausgesetzt sind, daß sie alle im selben Boot sitzen.

Aber Furcht ist ein schlechter Nährboden für Appelle, und die Anhänger der Friedensbewegungen wären sicher schlecht beraten, wenn sie sich die Schrecken eines neuen Weltkrieges zunutze machen wollten. Furcht schwächt die Nerven und beeinträchtigt die Urteilskraft. Nicht aus Angst darf die Menschheit den Dämon der Zerstörung und Grausamkeit austreiben, sondern aus vernünftigeren, humaneren und edelmütigeren Motiven. Emily Greene Balch (1946)

Wäre das Ziel der wirtschaftlichen Produktion tatsächlich die Befriedigung der menschlichen Bedürfnisse, gäbe es keine Probleme mit dem Markt. Als die Vereinigten Staaten mit der Arbeitslosigkeit zu kämpfen hatten, sagte der verstorbene Präsident Roosevelt, es gäbe so viele schlecht ernährte, schlecht gekleidete und schlecht untergebrachte Menschen, daß – allein um deren Grundbedürfnisse zu befriedigen – für jeden Arbeitswilligen, ob Mann oder Frau, genug zu tun sei. Nehmen wir an, das träfe auf die Vereinigten Staaten zu – um wieviel mehr trifft es dann auf eine Welt zu, in der zwei von drei Men-

schen aus Mangel an den lebensnotwendig-
sten Gütern vorzeitig sterben! Der Aufruhr in
Asien, der sich vermutlich auf alle farbigen
Rassen ausdehnen wird, ist im Grunde eine
Revolte gegen Hunger und Armut. Es kann
keinen Frieden auf Erden geben, solange ein
Großteil der Bevölkerung nicht einmal das
Lebensnotwendigste hat und glaubt, eine Ver-
änderung des politischen und wirtschaft-
lichen Systems könne Abhilfe schaffen. Die
Voraussetzung für den Weltfrieden ist: Genug
für alle.   JOHN BOYD-ORR (1949)

Frieden hat nicht allein damit zu tun, ob
Menschen kämpfen oder nicht kämpfen.
Wenn das Wort für die vielen, die in Friedens-
wie in Kriegszeiten nur Leid und Elend gekannt haben, eine Bedeutung erhalten soll,
muß es in Brot oder Reis, Wohnung, Gesund-
heit und Bildung übersetzt werden und
ebenso in Freiheit und Menschenwürde – in
ein besseres Leben. Wenn der Frieden gesichert sein soll, muß für die leidenden, hungrigen und vergessenen Völker dieser Erde, für
die Unterprivilegierten und Unterernährten
ohne weitere Verzögerung erkennbar werden,

daß sie bald die Möglichkeit eines Neube-
ginns und eines neuen Lebens erhalten wer-
den.   RALPH J. BUNCHE (1950)

Schwarzmalerei hinsichtlich der Zukunft ist
ein Verbrechen. Die Gefahr besteht nicht
darin, zuviel, sondern darin, zu wenig zu tun.
Fritjof Nansen hat 1926 hier an dieser Stelle
gesagt, daß es in den wichtigen Dingen des
Lebens von größter Bedeutung ist, keine
Rückzugsmöglichkeiten offen zu lassen...
Wir müssen alle Brücken zur alten Politik
und zum alten System, die sich als solche
Fehlschläge erwiesen haben, hinter uns ab-
brechen.

Ist in einem Zeitalter, in dem das Atom gespalten, der Mond umrundet und Krankheiten besiegt wurden, die Abrüstung so schwer
zu bewerkstelligen, daß sie ein ferner Traum
bleiben muß? Die Antwort ›Ja‹ hieße, an der
Zukunft der Menschheit zu verzweifeln.

                              PHILIP NOEL-BAKER (1959)

Alles, was ich gesagt habe, läßt sich so zu-
sammenfassen: Das Überleben der Mensch-

heit hängt davon ab, ob der Mensch fähig sein wird, eine Lösung für Rassismus, Armut und Krieg zu finden. Die Lösung dieser Probleme wiederum hängt davon ab, ob der wissenschaftliche Fortschritt von einem moralischen Fortschritt begleitet wird, und ob der Mensch die praktische Kunst des harmonischen Zusammenlebens erlernt.

MARTIN LUTHER KING (1964)

Wer Frieden wünscht, muß dafür sorgen, daß Gerechtigkeit gedeiht, doch gleichzeitig muß er die Felder bestellen, um mehr Brot zu produzieren, andernfalls wird es keinen Frieden geben. NORMAN BORLAUG (1970)

Der Frieden ist so wenig wie die Freiheit ein Urzustand, den wir vorfinden: Wir müssen ihn machen, im wahrsten Sinne des Wortes.

WILLY BRANDT (1971)

Friede ist mehr als die Abwesenheit von Krieg, obwohl es Völker gibt, die hierfür heute schon dankbar wären. Eine dauerhafte und gerechte Friedensordnung erfordert gleichwertige Entwicklungschancen für alle Völker. Willy Brandt (1971)

Einen Zustand des Friedens zu schaffen, mag das oberste Ziel aller Staatsmänner sein, doch gleichzeitig ist der Frieden etwas ganz Gewöhnliches, eng mit dem täglichen Leben jedes Einzelnen Verbundenes. Anders ausgedrückt, ist er diejenige Lebenssituation, die es jedem Einzelnen und jeder Familie erlaubt, ohne Angst ihr Lebensziel zu verfolgen. Nur unter solchen Umständen wird der Einzelne die Hoffnung auf eine Zukunft der Menschheit nicht verlieren und sich der Erziehung seiner Kinder widmen können, nur so wird er versuchen können, der Menschheit den Stempel seiner kreativen und konstruktiven Leistungen in Kunst, Kultur, Religion und in anderen gesellschaftlich wichtigen Bereichen aufzudrücken. Dies ist der Frieden, der für alle Individuen, Völker, Nationen, und deshalb für die gesamte Menschheit unabdingbar ist. Eisaku Sato (1974)

Vor der ganzen Welt wiederholen wir die Botschaft, die wir bereits im August 1976 verkündet haben. Es ist die Proklamation der ›Peace People‹:

Unsere Friedensbewegung hat eine einfache Botschaft für die Welt.

Wir wollen leben und lieben und eine gerechte und friedliche Gesellschaft schaffen.

Wir wünschen uns für uns und unsere Kinder, daß das Leben zu Hause, bei der Arbeit und beim Spiel ein Leben der Freude und der Friedens ist.

Wir sind uns bewußt, daß die Schaffung eines solchen Lebens von uns allen Hingabe, harte Arbeit und Mut erfordert.

Wir sind uns bewußt, daß es in unserer Gesellschaft viele Probleme gibt, die die Quelle von Auseinandersetzungen und Gewalt sind.

Wir wissen, daß jede Kugel, die abgefcuert wird, und jede Bombe, die explodiert, unsere Arbeit erschwert.

Wir lehnen die Bombe, die Kugel und alle anderen Techniken der Gewaltanwendung ab.

Wir weihen uns der Aufgabe, mit unseren Nachbarn nah und fern jeden Tag am Aufbau jener fricdlichen Gesellschaft zu arbeiten, in der die Tragödien, die wir erlebt haben, nur noch als schlimme Erinnerung und bleibende Mahnung fortbestehen.

BETTY WILLIAMS (1976)

Frieden ist die Schönheit des Lebens. Er ist Sonnenschein. Er ist das Lächeln eines Kindes, die Liebe einer Mutter, die Freude eines Vaters, das Zusammensein einer Familie. Er ist der Fortschritt der Menschen, der Sieg einer gerechten Sache, der Triumph der Wahrheit. Der Frieden ist all das und noch weitaus mehr.

Doch in meiner Generation gab es eine unaussprechliche Zeit. Sechs Millionen Juden – Männer, Frauen und Kinder, eine Zahl, die die Einwohnerzahl manch einer europäischen Nation übersteigt – wurden unbarmherzig verschleppt und mitten im Herzen eines zivilisierten Kontinents systematisch abgeschlachtet. Ihrer Menschenwürde beraubt, halb verhungert, erniedrigt, entwurzelt und zuletzt zu Asche verwandelt, riefen diese Verdammten nach Hilfe – aber vergebens.

In einer Zeit, die alles Vorangegangene in den Schatten stellte, kam die Stunde, sich zu erheben und zu kämpfen – für die Würde des Menschen, für das Überleben, für die Freiheit, für alle humanen Werte, mit denen der Mensch von seinem Schöpfer ausgestattet worden ist, für jedes bekannte unveräußerliche Recht, das er kennt und für das er lebt. Es gibt Tage, an denen der Kampf für eine so vollkommen gerechte Sache ganz besonders hart ist. Norwegen hat solche Tage gekannt, und mein Land ebenfalls. Nur wenn wir uns solchen Aufgaben stellen, wird die Idee des Friedens wieder an Boden gewinnen. Man steht auf, man kämpft, man bringt Opfer, um die Hoffnung auf ein Leben in Frieden zu ermöglichen und zu garantieren – für Sie und Ihr Volk, für Ihre Kinder und deren Kinder.

Wir erklären und bekennen jedoch, wir betonen und beharren darauf, daß Freiheitskämpfer den Krieg hassen... Das ist unsere gemeinsame Maxime und unser Glaube – wenn Sie durch Ihre Bemühungen und Opfer die Freiheit, und mit ihr die Aussicht auf Frieden gewinnen, dann setzen Sie sich für den Frieden ein, denn es gibt keine heiligere Berufung im Leben.   MENACHEM BEGIN (1978)

Ich wiederhole hier, was ich vor über einem Jahr in der Knesset gesagt habe:

Jedes in einem Krieg verlorene Leben ist das Leben eines menschlichen Wesens, gleichgültig, ob es das eines Arabers oder eines Israelis ist.

Die Frau, die zur Witwe wird, ist ein menschliches Wesen und hat das Recht, in einer glücklichen Familie zu leben – einer arabischen oder einer israelischen.

Unschuldige Kinder, die der elterlichen Fürsorge und Zuneigung beraubt werden, sind unser aller Kinder, ob sie nun auf arabischem oder auf israelischem Boden leben, und wir schulden ihnen die größten Anstrengungen, um ihnen eine glückliche Gegenwart und eine hoffnungsvolle Zukunft zu gewährleisten.

Um all dieser Dinge willen, zum Schutz des Lebens unserer Söhne und Brüder,

damit die Arbeit unserer Bevölkerung in Sicherheit und Zuversicht vor sich gehen und Früchte tragen kann,

für die Entwicklung des Menschen, sein Wohlbefinden und sein Recht, ein ehrenhaftes Leben zu führen, um unserer Verantwortung für die kommenden Generationen willen,

für das Lächeln eines jeden Kindes, das in unserem Land geboren wird.

MOHAMMED ANWAR EL-SADAT (1978)

Heute leben mehr als 10 Millionen Flüchtlinge in Furcht und Armut. Auf unserem Weg zu einer besseren Zukunft für die Menschheit dürfen wir die tragische Präsenz jener 10 Millionen, für die der Frieden nicht existiert, auf keinen Fall ignorieren. Wenn wir ein einzelnes Problem lösen, leisten wir einen Beitrag zum Frieden des Einzelnen. Immer wenn wir einem einzelnen Menschen Frieden bringen, machen wir aus unserer Erde einen lebenswerteren Ort.

POUL HARTLING (1981)
Repräsentant des UNO-Hochkommissariats
für das Flüchtlingswesen

Der Frieden hat nichts mit Preisen und Trophäen zu tun. Er ist nicht das Ergebnis eines Sieges oder eines Befehls. Er hat keine Ziellinie, keinen Schlußpunkt, er gibt keine Definition, wann er erreicht ist.

27

Der Frieden ist ein unendlicher Prozeß, das Resultat vieler Entscheidungen vieler Menschen aus vielen Ländern. Er ist eine innere Haltung, eine Lebensweise, ein Art, Probleme zu lösen und Konflikte zu bewältigen. Er kann der kleinsten Nation nicht aufgezwungen und von der größten nicht unter Zwang durchgesetzt werden. Er kann unsere Unterschiede nicht ignorieren oder unsere gemeinsamen Interessen außer Acht lassen. Er verlangt von uns, daß wir zusammen arbeiten und leben.   OSCAR ARIAS SÁNCHEZ (1987)

Der Frieden besteht in der Hauptsache aus der Tatsache, daß man ihn aus ganzer Seele herbeisehnt. Die Einwohner meines kleinen Landes Costa Rica haben diese Worte des Erasmus beherzigt. Mein Volk ist ein waffenloses Volk, dessen Kinder noch nie einen Kämpfer, einen Panzer oder ein Kriegsschiff gesehen haben.   OSCAR ARIAS SÁNCHEZ (1987)

Frieden ist in jeder Sprache einfach auszusprechen. Als Generalsekretär der Vereinten Nationen höre ich das Wort so häufig, von so vielen verschiedenen Lippen und aus so verschiedenen Quellen, daß es mir manchmal wie eine Beschwörungsformel ohne jede praktische Bedeutung erscheint. Was meinen wir eigentlich mit Frieden?

Die Beschaffenheit der menschlichen Natur läßt vermuten, daß der Frieden notwendigerweise ein relativer Zustand ist. Der Kern des Lebens ist Kampf und Konkurrenz, und in dieser Hinsicht ist der vollkommene Friede eine fast sinnlose Abstraktion. Kampf und Konkurrenz sind stimulierend, aber wenn sie zum bewaffneten Konflikt verkommen, sind sie destruktiv und zersetzend. Das Ziel politischer Institutionen wie der Vereinten Nationen ist es, zwischen Konkurrenz und Konflikt eine Grenze zu ziehen und es den Nationen zu ermöglichen, auf der richtigen Seite dieser Grenzlinie zu stehen…

Diese [Friedenstruppen] sind Soldaten ohne Gegner. Ihre Pflicht ist es, über dem Konflikt zu stehen. Sie dürfen ihre Waffen nur im äußersten Fall zur Selbstverteidigung gebrauchen. Ihre Stärke ist es, daß sie als Vertre-

ter des Willens der internationalen Gemeinschaft eine ehrenhafte Alternative zum Krieg
und einen nützlichen Vorwand für den Frieden bieten. Ihre Präsenz ist oft die wichtigste
Voraussetzung für Verhandlungen. Sie haben
– oder sollten es jedenfalls – eine direkte Verbindung zum Prozeß der Aussöhnung.

JAVIER PÉREZ DE CUÉLLAR
für die Friedenstruppen der Vereinten Nationen
(1988)

Der Friede beginnt in jedem von uns. Wenn
wir inneren Frieden besitzen, können wir mit
den Menschen unserer Umgebung in Frieden
leben. Wenn unsere Gemeinschaft in Frieden
existiert, kann sie diesen Frieden mit angren-
zenden Gemeinschaften teilen, und so fort.
Wenn wir anderen gegenüber Liebe und
Freundschaft empfinden, fühlen sich diese
anderen geliebt und respektiert, doch auch
uns wird dadurch geholfen, inneres Glück
und inneren Frieden zu entwickeln.

DER DALAI LAMA (1989)

Frieden ist eine Entwicklung hin zur Globalität und zur Universalität unserer Zivilisation. Niemals zuvor ist die Überzeugung, daß Frieden unteilbar ist, so gültig gewesen wie heute. Frieden ist nicht nur die Einheit in Gleichheit, sondern auch die Einheit in Vielfalt, im Vergleich und der Versöhnung von Unterschieden.

MICHAIL S. GORBATSCHOW (1990)

Die menschliche Gemeinschaft

Wenn heute ein Prophet die Völker zu Frieden und gesundem Menschenverstand anhalten wollte, würde er als Mensch zu Menschen sprechen. Mit der Kraft der Gesetze und der Sanftmut des Evangeliums würde er folgendes sagen: Patriotismus ist ein edles Gefühl, sofern er das rein Menschliche anspricht, aber er ist das genaue Gegenteil, wenn es sich davon entfernt. Keine noch so großen Eigeninteressen sind höher einzustufen als die Interessen der gesamten Menschheit. An erster Stelle steht das Gebot, das so alt ist wie die ältesten Zeugnisse der Völker: Ihr sollt nicht töten! Ihr seid alle eines Blutes. Liebet einander. Die Menschen können das. Nationen können es. All dies ist ohne weiteres möglich. So wie die Liebe das natürlichste aller Gefühle ist, so ist der Haß der Völker aufeinander das unnatürlichste.

KLAS PONTUS ARNOLDSON (1908)

Bei weitem wichtiger als jede politische Abrüstung von Armeen und Flotten ist jedoch die ›Abrüstung‹ der Menschen in ihrem Inneren, die Entfaltung von Mitgefühl in den Seelen der Menschen.   FRITJOF NANSEN (1922)

Das Weihnachtsfest rückt näher, dessen Botschaft an die Menschheit lautet: Friede auf Erden.

Noch nie hat die leidende, verirrte Menschheit mit größerer Sehnsucht auf den Friedensfürsten gewartet, auf ihn, den Fürsten der Nächstenliebe, der das weiße Banner erhebt, auf dem ein einziges Wort in goldener Schrift leuchtet: Arbeit!

Jeder einzelne von uns kann ein Arbeiter in seiner Phalanx werden auf dem Siegeszug über die Welt, um das neue Menschengeschlecht hervorzubringen; um Nächstenliebe und ehrlichen Friedenswillen zu bringen, um den Menschen Arbeitswillen und Arbeitsfreude zurückzugeben, um den Glauben an die Morgenröte zu beleben.

                    FRITJOF NANSEN (1922)

33

Diese Gegenüberstellung des nationalen und internationalen Zusammenwirkens als zweier Gegensätze erscheint mir töricht. Ich habe als Vertreter Deutschlands mich gerade mit diesen Ideen in Genf versucht auseinanderzusetzen und den Gedanken zum Ausdruck gebracht, daß es nicht der Wille einer göttlichen Weltordnung gewesen sein kann, daß die höchste Leistungsfähigkeit des Menschen sich gegeneinanderkehren solle. Ich habe versucht darzulegen, daß, wer das Höchste in sich entwickelt auf Grund dessen, was Nationalität und die Blutstöme des eigenen Volkes ihm geben, über das seinem Volk Eigene die große Linie des allgemeinen Wissens, des allgemeinen Empfindens in sich so fühlen und nach außen zum Ausdruck bringen wird, daß auf dem erdgewachsenen Boden seiner Anschauungen das große Menschliche die Wölbung über dem Dom des vaterländischen Empfindens ist. So wie Shakespeare nur möglich war auf englischem Boden. So wie Ihre großen Dramatiker und Dichter das ausstrahlen, was Natur und Seele des norwegischen Volkes erfüllt, und doch das Allgemeingültige des Menschentums damit verbinden…

34

Es braucht nicht Hemmnis zu sein, sondern wird Brücke der Verständigung auf geistigem Gebiete. So wie es auf diesem Gebiete ist, so ragen die Großen eines Volkes hinein in die Menschheit, nicht trennend, sondern verbindend, international versöhnend und doch national groß. GUSTAV STRESEMANN (1926)

Die Politik, die ich zu umreißen versuchte, ist inhaltsschwer, mutig und weitreichend. Es wird keine leichte und mühelose Aufgabe sein, die Grundlagen für einen Staatenbund der ganzen Menschheit zu legen. Es ist im Gegenteil vielleicht das größte und schwierigste Unternehmen, das der kühne Geist des Menschen je erdacht hat. Aber es ist eine Aufgabe, die zur Notwendigkeit geworden ist. Es ist ein Unternehmen, das sich auf die Realitäten und Tatsachen der modernen Welt stützt. Wenn unsere gemeinsame westliche Zivilisation und unser Glaube an die Demokratie noch einen Wert haben soll – und ich glaube daran –, müssen wir diese Politik der Welt als Herausforderung und als Aufruf zu einem großen Kreuzzug des Friedens zu präsentieren wagen. Können wir der Jugend der Welt ein glänzenderes Abenteuer und eine großartigere Aufgabe bieten als die, den uralten Traum der Heiligen und Weisen zu verwirklichen – die große Weltgemeinschaft als sichtbare Verkörperung der menschlichen Einheit.

ARTHUR HENDERSON (1934)

In allen Nationen wünscht sich das einfache Volk Frieden. In Gegenwart großer unpersönlicher Kräfte fühlt es sich jedoch zu hilflos, um sich aktiv für ihn einzusetzen. Hier und heute demonstrieren Sie, daß ganz gewöhnliche Menschen – keine Staatsmänner oder Generäle, keine großen Berühmtheiten, sondern ganz einfache Männer und Frauen wie die Quäker und ihre Freunde – etwas dazu tun können, daß eine bessere, friedlichere Welt entsteht, wenn sie sich mit allen Kräften, selbst angesichts vergangenen oder angedrohten Unheils, für Vertrauen statt für Gewalt einsetzen. Die Hoffnung auf eine friedvolle Zukunft liegt in solchen persönlichen Diensten und Opfern. Zu diesem Ideal können einfache Menschen überall beitragen.

HENRY J. CADBURY für die amerikanische
Gesellschaft der Freunde (Quäker) (1947)

Kann aber der Geist wirklich ausrichten, was wir ihm in unserer Not zutrauen müssen? Man darf von seiner Kraft nicht gering denken. Er ist es ja, der sich in der Geschichte der Menschheit betätigt. Er wirkt die Humanitätsgesinnung, aus der aller Fortschritt zur höheren Daseinsweise des Menschen kommt. In der Humanitätsgesinnung sind wir uns selbst treu, in ihr sind wir fähig, schöpferisch zu sein. In der Gesinnung der Inhumanität sind wir uns selbst untreu und damit allem Irren ausgeliefert.

ALBERT SCHWEITZER (1952)

Kants Ansicht von der natürlichen Friedensliebe des Volks hat sich aber nicht bewahrheitet. Als Wille einer Vielheit ist der Volkswille der Gefahr, unbeständig zu sein, durch Leidenschaftlichkeit von der rechten Vernünftigkeit abzukommen und des erforderten Verantwortungsbewußtseins zu ermangeln, nicht entgangen. Nationalismus übelster Art hat sich in beiden Kriegen betätigt und kann zur Zeit als das größte Hemmnis einer zwischen den Völkern sich anbahnenden Verständigung gelten.

Verdrängen läßt sich dieser Nationalismus nur dadurch, daß unter den Menschen wieder Humanitätsgesinnung aufkommt...

Alle Menschen, auch die primitiven und halbzivilisierten, tragen in ihrer Eigenschaft als mitempfindende Wesen die Fähigkeit zur Humanitätsgesinnung in sich. Sie ist in ihnen als ein Brennstoff gegeben, der darauf wartet, durch eine hinzukommende Flamme entzündet zu werden.

ALBERT SCHWEITZER (1952)

Ich bin mir bewußt, in dem, was ich über das Problem des Friedens gesagt habe, nichts wesentlich Neues gebracht zu haben. Ich bekenne mich zu der Überzeugung, daß wir es nur dann lösen können, wenn wir den Krieg aus dem ethischen Grunde, weil er uns der Unmenschlichkeit schuldig werden läßt, verwerfen...

Nur in dem Maße, als durch den Geist eine Gesinnung des Friedens in den Völkern aufkommt, können die für die Erhaltung des Friedens geschaffenen Institutionen leisten, was von ihnen verlangt und erhofft wird.

ALBERT SCHWEITZER (1952)

Es kann keinen wahren Frieden auf der Welt geben, solange Hunderttausende von Männern, Frauen und Kindern ohne eigenes Verschulden und nur, weil sie alles, was sie besaßen, für ihre Überzeugungen opferten, noch immer in elenden Lagern leben und einer höchst ungewissen Zukunft entgegensehen. Wenn wir zu lange warten, werden die Entwurzelten leichte Beute für politische Abenteurer werden, unter denen die Welt schon genug gelitten hat. Bevor dies geschieht, wollen wir einander die Hände reichen, um die Probleme dieser Menschen zu lösen.

Vor vielen Jahren nahm ich an einer Diskussion über das Bildungswesen auf internationaler Ebene teil. Nachdem viele Experten ihre komplizierten Theorien präsentiert hatten, stand ein alter Schulrektor auf und sagte leise: »Es gibt nur ein Art von Erziehung, und das sind Liebe und das eigene Beispiel.« Er hatte recht. Was für Erziehung gilt, gilt auch für das Flüchtlingsproblem von heute. Mit Liebe und unserem eigenen Beispiel – Beispiel im Sinne von Opfer – kann es gelöst werden. Und wenn in unseren zynischen Zeiten jemand über ›Liebe‹ und ›Beispiel‹ als politische Faktoren nur noch lachen kann, sollte er sich an Nansens kämpferische, direkte und mutige Worte erinnern, die er nach einem Leben voller Opfer und Hingabe sagte: »Nächstenliebe ist praktische Politik«.

DR. G. JAN VAN HEUVEN GOEDHART
für das UNO-Hochkommissariat für das
Flüchtlingswesen (1954)

Die Frage, warum Menschen kämpfen, die von Natur aus gar keine Kämpfer sind, stellte sich mir auf neue und dramatische Weise an einem Weihnachtsabend in London während des 2. Weltkriegs.

Die Luftschutzsirenen stießen ihre düstere, vertraute Warnung aus. Noch bevor das letzte Heulen verklungen war, begann das Krachen der Luftabwehrraketen. Zwischen den Explosionen konnte ich das dumpfere, noch bedrohlichere Geräusch der Bomben hören. Es war im Grunde kein schwerer Angriff, aber ein oder zwei Bomben schienen ganz in der Nähe meines Zimmers einzuschlagen. Ich lag im Bett und las und stellte, um das Geräusch der Bomben zu übertönen oder mich wenigstens davon abzulenken, das Radio ein. Als ich ziellos an den Knöpfen drehte, wurde der Raum plötzlich von wunderbar friedvollen Weihnachtsliedern durchflutet. Die herrliche Musik löschte die Kriegsgeräusche aus und beschwor Erinnerungen an glücklichere Weihnachtsabende herauf. Dann sprach der Ansager – auf deutsch, denn es war ein deutscher Sender, und es waren Deutsche, die die Lieder gesungen hatten. Nazibomben kreischten durch die Luft mit ihrer Botschaft von Krieg und Tod; deutsche Musik schwebte durch den Raum mit ihrer Botschaft von Frieden und Erlösung. Wenn wir dieses Paradox lösen können, werden wir endlich in der Lage sein, das Problem von Krieg und Frieden zu verstehen und zu überwinden. Lester B. Pearson (1957)

Laßt uns den Patentlösungen mißtrauen, laßt uns den Statistiken mißtrauen. Wir müssen unsere Nächsten lieben wie uns selbst... Es gibt vielleicht keinen besseren Weg zum Frieden als denjenigen, der von kleinen Inseln und Oasen aufrichtiger Herzlichkeit ausgeht, die sich ständig vermehren und miteinander verbinden, bis sie schließlich wie ein Ring die Erde umspannen. Pater Dominique Pire (1958)

Die heilige Verbindung, die zwischen zwei Menschen entsteht, die ihre Menschenwürde darin entdecken, daß sie sich gemeinsam um die Rettung eines dritten bemühen, befreit uns von vielen Mauern aus Vorurteil, Engstirnigkeit und Diskriminierung, die die Liebe der Menschen untereinander behindern und ihrer Kraft berauben. Wir müssen an die Macht der Liebe glauben und ihr Geltung verschaffen. Lassen Sie mich gleich darauf hinweisen, daß eine Geste brüderlicher Liebe, die gemeinsam dargebracht wird, keine prinzipiellen Zugeständnisse erfordert, sondern im Gegenteil von den Rechtschaffenen angenommen und sogar begrüßt wird. Sprechen wir nicht von Toleranz. Dieser Begriff läßt auf widerwillige Zugeständnisse selbstgefälliger Egoisten schließen. Sprechen wir lieber von gegenseitigem Verstehen und gegenseitiger Achtung.

PATER DOMINIQUE PIRE (1958)

Ist das Rote Kreuz in Kriegszeiten eine flakkerndes Licht, das uns an unsere unauflösliche Zusammengehörigkeit erinnern soll? Ist es eine Geste, die darauf deutet, daß wir alle –

auch gegen den Anschein – von der Gottheit abstammen; daß wir unsere Körper vernachlässigen, nicht aber unsere Seelen abwerfen können?

Der Kontrast zwischen der Arbeit des Roten Kreuzes im Frieden und seiner Aufgabe im Krieg ist immer wieder faszinierend. Im Frieden unterstützt es wohltätige Dienste, in Notzeiten ist es eine Säule des Beistands für die Bedrängten. Im Krieg ist es ein Verbindungsglied, ein Werkzeug praktischer Hilfeleistung für die Verwundeten und Gefangenen, ein Symbol dafür, daß jenseits von Messern und Gewehren die Lerchen und Engel wachen.   JOHN A. MacAULEY

für die Liga der Rot-Kreuz-Gesellschaften (1963)

Ein berühmter Dichter stellte einst die Frage: »Wo ist der Schnee vom vergangenen Jahr?« Vielleicht werden wir noch den Tag erleben, an dem die Menschen fragen: »Wo ist der Haß vom vergangenen Jahr?« Denn auf lange Sicht kann die Macht der Freundlichkeit mehr wiedergutmachen als die Macht der Gewalt zerstören kann. Es gibt einen enormen Vorrat an Freundlichkeit...

Der Vorhang hebt sich. Wir haben einen
Triumphzug oder eine Tragödie vor Augen –
denn wir sind Dramatiker, Schauspieler und
Publikum zugleich. Laßt uns einen Triumphzug inszenieren – die Welt hat ein für allemal
genug von Tragödien.   JOHN A. MACAULEY
      für die Liga der Rot-Kreuz-Gesellschaften (1963)

Heute komme ich nach Oslo als Stellvertreter, erfüllt von Freude und einem neuen
Glauben an die Menschheit. Ich nehme diesen Preis im Namen all derer entgegen, die
Frieden und Brüderlichkeit lieben. Ich sage,
daß ich als Stellvertreter komme, denn tief
in meinem Herzen weiß ich, daß dieser
Preis viel mehr ist als eine Ehrung meiner
Person.

Immer wenn ich ins Flugzeug steige, denke
ich an die vielen Menschen, die eine erfolgrei-
che Reise möglich machen – die bekannten
Piloten und das unbekannte Bodenpersonal.
Sie ehren heute die einsatzfreudigen Piloten
unsere Kampfes, die an den Kontrollgeräten
saßen, als sich die Freiheitsbewegung hoch in
die Lüfte erhob. Sie ehren ein zweites Mal
Häuptling Lutuli aus Südafrika, dessen

Kämpfe mit seinem und für sein Volk immer noch auf die brutalsten Äußerungen der Unmenschlichkeit treffen. Sie ehren das Bodenpersonal, ohne dessen Mühen und Opfer die Flüge in die Freiheit nie hätten geschehen können. Viele dieser Menschen werden nie in den Schagzeilen erscheinen, und ihre Namen werden nicht im »Who's Who« stehen. Doch wenn die Jahre vergangen sein werden und das strahlende Licht der Wahrheit auf diese großartige Zeit, in der wir leben, gerichtet sein wird, werden Männer und Frauen wissen – und man wird es den Kindern beibringen –, daß wir ein schöneres Land, ein besseres Volk und eine eindrucksvollere Zivilisation haben, weil diese einfachen Kinder Gottes für die Gerechtigkeit zu leiden bereit waren.

Albert Nobel wüßte zweifellos, was ich meine, wenn ich hier sage, daß ich diesen Preis im Geiste eines Verwalters annehme, der ein kostbares Erbe für dessen wahre Besitzer hütet – für all jene, für die Schönheit Wahrheit bedeutet und Wahrheit Schönheit und in deren Augen die Schönheit wahrer Brüderlichkeit und wahren Friedens wertvoller ist als Gold, Silber und Diamanten.

MARTIN LUTHER KING (1964)

45

Die Stimme der Frauen hat eine besondere Funktion und eine besondere seelische Kraft im Kampf für eine gewaltlose Welt. Wir haben nicht vor, religiöses Sektierertum oder ideologische Spaltungen durch Sexismus oder irgendeine Art von militantem Feminismus zu ersetzen. Aber wir glauben, daß die Frauen in diesem großen Kampf eine führende Rolle innehaben.

Deshalb fühlen wir uns im Namen aller Frauen geehrt, daß Frauen für ihren Beitrag zu einer gewaltlosen Bewegung ausgezeichnet werden, die das Ziel verfolgt, eine gerechte und friedliche Gesellschaft zu schaffen. Mitgefühl ist wichtiger als der Intellekt, wenn es um die Liebe geht, die die Arbeit für den Frieden erfordert, und Intuition kann oft eine viel hellere Leuchte sein als der kalte Verstand. Wir müssen nachdenken, genau nachdenken, aber ohne Mitgefühl werden wir wahrscheinlich anfangen, über Theorien zu streiten...

Über viele Jahrhunderte hinweg waren in vielen verschiedenen Kulturen die Frauen vom sogenannten öffentlichen Leben ausgeschlossen; gerade aus diesem Grund haben sie sich mehr auf die häuslichen Dinge kon-

zentriert... und sie sind mit den Realitäten
des Lebens weit vertrauter geblieben, die für
sie bedeuteten, Leben und Liebe zu geben.
Nun ist vielleicht der Zeitpunkt gekommen,
an dem diesen Realitäten Vorrang gegeben
werden muß vor den großspurigen Abenteu-
ern, die zum Krieg führen.

Doch wir wollen nicht, daß es darüber zu
einer Spaltung kommt... wir wünschen uns
eine natürliche, respektvolle und liebevolle
Zusammenarbeit. Frauen und Männer können unsere Welt gemeinsam zu einem wun-
derbaren Ort machen, und deshalb nennen
wir uns die ›Peace People‹.

BETTY WILLIAMS (1976)

Manchmal haben unsere Mitglieder mehr
von den Gefangenen bekommen, denen sie
helfen wollten, als die Gefangenen von ihnen: Mut, die Wertschätzung menschlicher
Würde und Freiheit, die Ausdauer des
menschlichen Geistes. Aus diesem Grund gehören unsere Schlußworte einer inzwischen
verstorbenen Gefangenen.

Vor einiger Zeit gelang es ihr, einen Brief
aus dem Gefängnis zu schmuggeln. Darin

schrieb sie: »Sie beneiden uns. Sie werden uns alle beneiden, denn es ist eine beneidenswerte, wenn auch sehr schwierige Aufgabe, die Geschichte als ein Mensch zu durchleben, sein Leben als Mensch zu vollenden. Bald wird die Nacht anbrechen. Ich fühle mich einsam. Nein... ich bin eins mit der ganzen Menschheit, und die ganze Menschheit ist bei mir.«   Mümtaz Soysal
für Amnesty International (1977)

Von dieser Friedensplattform aus möchte ich an all jene appellieren, in deren Händen die Zukunft der Menschheit liegt: sie mögen ihre Macht nicht gebrauchen, um zu töten oder zu zerstören, nicht, um durch die zwanghafte Verfolgung egoistischer Ziele Leiden zu schaffen, sondern um bei der Linderung von Not zu helfen und um Gerechtigkeit und Freiheit für jeden Einzelnen herzustellen.

Und ich appelliere an jeden und jede. Laßt es uns nie an Mitgefühl für die Notleidenden mangeln. Laßt uns nie müde werden, den Opfern von Ungerechtigkeit und Unterdrükkung zu helfen. Wer seinen Glauben auf die

Wiederherstellung der Menschenwürde richtet, kann nicht im Unrecht sein.

POUL HARTLING
für das UNO-Hochkommissariat für das
Flüchtlingswesen (1981)

Ich komme aus einem herrlichen Land, das Gott mit reichen natürlichen Ressourcen gesegnet hat, mit weiten Ebenen, sanften Hügeln, singenden Vögeln, hell leuchtenden Sternen an einem blauen Himmel, mit strahlendem, goldenem Sonnenschein. Gott hat uns in seiner Großzügigkeit genügend gute Dinge für alle geschenkt, aber die Apartheid hat einige in ihrem Eigennutz bestärkt und sie veranlaßt, gierig einen übergroßen Anteil, den Löwenanteil, an sich zu reißen, weil sie die Macht dazu haben.

DESMOND MPILO TUTU (1984)

Es gibt keinen Frieden in Südafrika. Es gibt keinen Frieden, weil es keine Gerechtigkeit gibt. Es kann auch keinen Frieden und keine Sicherheit geben, bis sich alle Bewohner unseres schönen Landes der Gerechtigkeit erfreuen können. Die Bibel kennt keinen Frieden ohne Gerechtigkeit, denn das hieße: ›Frieden, Frieden, wo kein Frieden herrscht‹. Gottes Schalom, sein Frieden, schließt unweigerlich Rechtschaffenheit, Gerechtigkeit, Ganzheit, Fülle des Lebens, Beteiligung an Entscheidungen, Güte, Gelächter, Freude, Mitgefühl, Teilen und Versöhnung mit ein.

DESMOND MPILO TUTU (1984)

Da auf der ganzen Welt Unsicherheit herrscht, unternehmen die Nationen einen irrsinnigen Rüstungswettlauf, verschwenden Milliarden Dollar für Zerstörungswerkzeuge, während gleichzeitig Millionen Hungers sterben. Und dabei könnte ein Bruchteil dessen, was so widersinnig in die Verteidigungshaushalte fließt, Kindern Gottes die Möglichkeit geben, ihren Magen zu füllen, Bildung zu erwerben und ein erfülltes und glückliches Leben zu führen. Für uns ist es nichts Besonderes, daß wir uns mehrmals am Tag satt essen können, aber täglich verfolgen uns die Bilder vom Bodensatz der Menschheit: abgezehrte Gestalten, die sich in endlose Schlangen einreihen, um ihre Schüssel mit dem zu füllen, was die Welt als Almosen abwirft – zu wenig, zu spät. Wann werden wir endlich zur Vernunft kommen, wann werden die Völker der Welt sich endlich erheben und rufen: Genug ist genug! Gott hat uns als Brüder und Schwestern erschaffen. Gott will, daß wir wie eine Familie zusammenleben, daß wir miteinander leben, weil wir füreinander da sein sollen. Wir sind nicht als selbstgenügsame Wesen geschaffen, sondern für ein Leben miteinander, und wir brechen dieses Gesetz unseres Lebens auf eigene Gefahr.

DESMOND MPILO TUTU (1984)

Die Probleme, denen wir heute begegnen, die gewalttätigen Auseinandersetzungen, die Zerstörung der Natur, Armut, Hunger und so weiter, sind vom Menschen selbst geschaffene Probleme, die durch menschliche Bemühungen, durch Verständnis und ein Gefühl für Brüderlichkeit und Schwesterlichkeit gelöst werden können. Wir müssen weltweit Verantwortung füreinander und für den Planeten, den wir bewohnen, übernehmen. Obwohl ich persönlich meine buddhistische Religion hilfreich finde, wenn es darum geht,

Liebe und Mitleid auch für unsere schlimm-
sten Feinde zu empfinden, bin ich davon
überzeugt, daß jeder Mensch mit oder ohne
Religion Herzensgüte und einen Sinn für uni-
verselle Verantwortung entwickeln kann.

DER DALAI LAMA (1989)

Glaube und Hoffnung

Denken Sie an die Art, wie die Dichter mit wenigen Ausnahmen sich Ruhm und Popularität verschaffen, in dem sie Loblieder auf Krieg und Gemetzel singen. Denken Sie auch daran, daß die erhabensten Tugenden immer mit der Fahne des eigenen Landes in Verbindung gebracht werden, während Grausamkeit allein dem Feind zugeschrieben wird – mit dem Ziel, Mißtrauen, Haß und Feindschaft zwischen den Völkern aufrecht zu erhalten. Angesichts all dessen muß selbst ich zugeben, daß ich für Augenblicke entmutigt war und mich fragte, ob die Idee, der ich seit Jahren meine Zeit und Energie gewidmet habe und noch widme, wirklich etwas anderes ist als eine Illusion meines armseligen Verstandes, ein Traum wie Thomas Morus' »Utopia« oder Campanellas »Sonnenstaat«.

Doch dies waren nur flüchtige Momente! Und bald sagte ich mir wieder: Selbst wenn der Einsatz für eine friedliche und gerechte Zukunft, für eine Zukunft stetigen Fort-

schritts und fruchtbarer, nützlicher Arbeit für
alle Menschen eine Illusion sein sollte, so
wäre es doch eine so göttliche Illusion, daß
sie das Leben lebenswert machen würde und
einen sogar dazu bewegen könnte, sein Leben
für sie hinzugeben.

Aber es ist keine Illusion. Das fühle ich in
meinem Innersten, und die Geschichte der
menschlichen Entwicklung wie auch die täg-
liche Erfahrung bestätigen mich darin. Vernünftige Ideen, die vor dem Gewissen der
Rechtschaffenen bestehen, vergehen nicht;
sie werden in der Folge Realitäten und aktive
Kräfte, aber das werden sie nur in dem Maße,
in dem diejenigen, die für sie eintreten, wissen, wie sie sie nutzen können. Es hängt also
von uns ab, von unserem Urteil und unserer
Standfestigkeit, ob eine Friedensidee sich im
öffentlichen Bewußtsein verankert oder
nicht und ob sie Teil des lebendigen und akti-
ven Gewissens eines ganzen Volkes wird.

ERNESTO TEODORO MONETA (1907)

Wenn wir aus allen Teilen der Welt je-
nem Gipfel zustreben, auf dem das Gesetz
des Menschen in souveränem Gleichmaß

54

herrscht – ist dies nicht das höchste Ziel auf
dem leidvollen, jahrhundertelangen Aufstieg
der Menschheit zum Kalvarienberg?

Viele Jahre der Prüfung, viele Rückschritte
wird es noch erfordern, bevor die menschlichen Leidenschaften, deren Grollen überall
zu vernehmen ist, zum Schweigen kommen
werden. Der Weg dorthin ist aber schon vor-
gezeichnet, wenn eine Organisation wie der
Völkerbund sich bis zur Vollkommenheit
weiterentwickelt. Die labende Kraft des Friedens und der Solidarität unter den Menschen
wird das Böse besiegen. Jedenfalls besteht zur
Hoffnung Anlaß genug. Und wenn wir den
Verlauf der Geschichte von ihren Anfängen
bis zum heutigen Tag betrachten, dann festigt
sich Hoffnung zu Glauben, zu unerschütter-
lichem Glauben.   Léon Bourgeois (1920)

Daher ist jede Hoffnung auf eine bessere Zukunft für die Menschen mit dem Streben
nach ›einer höheren Entwicklungsform der
Zivilisation‹ verbunden, einer allumfassen-
den Gemeinschaft aller Menschen. Haben
wir nun das Recht, einen teleologischen
Standpunkt einzunehmen, zu glauben, daß

ein Licht und ein guter Wille das Schicksal
der Menschen und der Völker lenkt und uns
zu dieser höheren Stufe der Erkenntis führen
wird? In der politischen Arbeit müssen wir
zwangsläufig auf solchen optimistischen Voraussetzungen aufbauen. Die Politik muß an
die bessere Einsicht der Menschen und an den
notwendigen Glauben an eine bessere Zukunft appellieren. Für diesen Glauben ist das
Tal der Todesschatten nur eine Durchgangs-
stadium auf dem Weg zum heiligen Berg.

CHRISTIAN L. LANGE (1921)

In uns allen lebt der Gedanke an die Ewig-
keit. Wir dürsten danach, in einem Glauben
zu leben, der unsere kleine Persönlichkeit in
einen höheren Zusammenhang erhebt –
einen Zusammenhang, der menschlich und
doch über-menschlich ist, absolut und doch
in ständigem Wachsen und ständiger Entwicklung, ideal und doch wirklich.

Sind das nicht unerfüllbare Forderungen?
Sie scheinen sich zu widersprechen. Und
doch gibt es einen Glauben, der die Forderungen befriedigt und die Widersprüche
löst.

Das ist der Glaube an die Einheit der Menschheit. CHRISTIAN L. LANGE (1921)

Wir glauben nicht wie Sokrates, daß der Mensch das Gute tut, weil er es als gut erkennt, aber wir stimmen dem Philosophen darin zu, daß ein Mensch wissen muß, was gut ist, bevor er handelt.

NATHAN SÖDERBLOM (1930)

Wenn der Friede auf unserer Erde verwirklicht werden soll, muß er in den Herzen der Menschen verankert sein. Und wem sollte diese Aufgabe zufallen, wenn nicht der Kirche, die sich selbst Friedensfürst nennt und als Losung ein göttliches Versprechen ausgibt: Ehre sei Gott in der Höhe und Friede auf Erden. Das menschliche Herz ist wankelmütig, und darum muß der Frieden, nach den Worten der Propheten, von Gesetz und Ordnung aufrecht erhalten werden, von einem übernationalen Rechtssystem, das sich gegen Nationen, die den Frieden gefährden, durchsetzen kann und das ohne Vorurteil oder Kompromiß die Gerechtigkeit zum obersten

Gesetz erhebt. Ein solches Rechtssystem bleibt jedoch, eine bloße Hülle, wenn es nicht von dem Streben der Menschen nach Frieden und Freiheit gefüllt wird... Ein Körper ohne Seele unterscheidet sich kaum von einer Maschine. Die Seele ist in diesem Fall die Liebe und die Gerechtigkeit des Evangeliums, nicht der Dämon der Selbstsucht.

NATHAN SÖDERBLOM (1930)

Wir dürfen nicht über die Hindernisse auf unserem Weg stolpern. Wir müssen schnell laufen, denn manchmal müssen wir hoch springen, um die Schwierigkeiten, die uns unsere Verpflichtung gegenüber der Menschheit auferlegt, zu überwinden. Wir dürfen uns nicht von den Dornen und dem Gestrüpp auf den ›unwegsamen Pfaden‹ zerkratzen lassen. Wir müssen mehr nach oben schauen und gleichzeitig mehr in die Nähe. Wir müssen uns mit Körper und Geist näher kommen, um die Namen zu verdienen, die uns das großartige Symbol des Roten Kreuzes gibt, den Namen Mensch, den Namen Christ.

EDOUARD CHAPUISAT (1944)
für das Internationale Komitee vom Roten Kreuz

Ich habe gesagt, daß Furcht keine Basis für Frieden ist. Was wir fürchten müssen, insbesondere wir Amerikaner, ist nicht, daß jemand Atombomben auf uns abwirft, sondern daß wir eine Weltlage entstehen lassen, in der ganz gewöhnliche, vernünftige und humane Menschen in unserem Namen solche Waffen einsetzen. Wir sollten schon im voraus entschlossen sein, uns von keiner Provokation und keiner Versuchung dazu bewegen zu lassen, von dieser letzten furchtbaren Möglichkeit des Krieges Gebrauch zu machen.

Möge kein junger Mann jemals vor der Wahl stehen, entweder seinem Gewissen Gewalt anzutun, indem er an einem Wettbewerb für Massenmord teilnimmt, oder sich von denen distanzieren zu müssen, die, in ihrem Bemühen, Freiheit, Demokratie und Menschlichkeit zu verteidigen, keinen besseren Weg finden, als junge Menschen zum Töten aufzufordern.

Wenn sich die Weltgemeinschaft in Frieden weiterentwickelt, wird sie auf große, bisher unberührte Reserven in der menschlichen Natur stoßen. Wie eine vom Druck befreite Sprungfeder würde eine ganze Generation junger Männer und Frauen reagieren, wenn sie in einer Atmosphäre der Freunschaft und Sicherheit aufwachsen könnten, in einer Welt, die ihre Dienste benötigt, die ihnen Kameradschaft bietet und die alle abenteuerlustigen und vorwärtsdrängenden Naturen braucht.

Von uns wird nicht verlangt, daß wir uns einer Utopie verschreiben oder daran glauben, daß eine vollkommene Welt in greifbarer Nähe liegt. Wir sollten nur Geduld aufbringen, wenn der Fortschritt auf dem Weg nach vorne langsam voranschreitet, und einen Schritt vorwärts tun, sobald er sinnvoll erscheint. Wir sind aufgefordert, uns mit Mut, Hoffnung und Bereitschaft zu harter Arbeit auszurüsten, und gleichzeitig hohe und edle Ideale zu hegen.   EMILY GREENE BALCH (1946)

Unser internationaler Dienst ist kein reiner Akt der Nächstenliebe; er bedeutet nicht nur, daß man die Welt nach einem Krieg aufräumt und wieder in Ordnung bringt. Er zielt darauf ab, Frieden zu schaffen, in dem eine andere Art von internationaler Dienstleistung vorgeführt wird. Deshalb ist unsere Auslandshilfe ein Mittel des Wiederaufbaus und soll

nicht nur dem Körper, sondern auch dem
Geist helfen und die Menschen hoffen lassen,
daß eine friedliche Welt möglich ist.

HENRY CADBURY (1947)
für die amerikanische Gesellschaft der Freunde
(Quäker)

Auf dieser grundlegenden Wahrheit basieren
alle Prinzipien und Handlungen der Gesellschaft der Freunde. Jeder Mensch besitzt
einen ihm eigenen Wert, und für Christus ist
jeder andere ebenso wichtig wie ich. Wir werden alle zu einer himmlischen Familie gehören und sind deshalb füreinander verantwortlich, indem wir, wenn Unrecht geschieht, unseren Teil der Schuld und der Last des Leidens
zu tragen haben.   MARGARET BACKHOUSE (1947)
für die britische Gesellschaft der Freunde (Quäker)

In Europa zumindest ist der Friede unabdingbar. Es ist entweder der Friede der Gräber, der
Friede der toten Reiche der Vergangenheit,
die ihren schöpferischen Geist verloren und
es versäumt haben, sich an die neuen Gege-

benheiten anzupassen, oder ein neuer dyna-
mischer Friede, in dem die Entwicklung der
menschlichen Gesellschaft einen großen
Sprung nach vorne machen und die Wissenschaft auf ein neues Zeitalter einwirken wird,
in dem Hunger, Armut und vermeidbare
Krankheiten von der Erde verschwinden werden, ein Zeitalter, in dem sich die Menschen
jedes Landes auf eine weit höhere Ebene in-
tellektuellen und kulturellen Wohlbefindens
erheben werden, ein Zeitalter, in dem ›eiserne
Vorhänge‹ verschwinden werden und die
Menschen – auch wenn sie starke patrioti-
sche Gefühle für ihr eigenes Land hegen –, als
Weltbürger frei umherreisen können. Das ist
die Hoffnung, die die Wissenschaft uns gibt.

JOHN BOYD-ORR (1949)

Ich bin kein alter Admiral, der die letzte und
größte Auszeichnung seines Lebens erhält.
Ich empfinde eine tiefe Freude, eine innere
Freude, die der eines Bergsteigers gleicht, der
auf halbem Weg zum Gipfel gerade einen Pfad
entdeckt hat, der es ihm gestattet, höher und
besser aufzusteigen.

PATER DOMINIQUE PIRE (1959)

Nun sind wir gezwungen, diese Überreste prähistorischer Barbarei, diesen Fluch der menschlichen Rasse für immer vom Angesicht der Erde zu entfernen. Wir haben das Privileg, in einer außergewöhnlichen Zeit zu leben, in einer einzigartigen Epoche der Weltgeschichte, der Epoche, die die Grenzlinie zwischen Jahrtausenden des Leidens und der Kriege und einer Zukunft in Frieden, Gerechtigkeit, Anstand und Wohlergehen zieht. Wir sind privilegiert, denn wir haben die Gelegenheit, zur Abschaffung des Krieges und seiner Ablösung durch das Weltgesetz beizutragen. Ich hoffe zuversichtlich, daß uns diese große Aufgabe gelingen wird, daß die Weltgemeinschaft nicht nur von kriegsbedingten Leiden befreit werden wird, sondern auch – durch eine bessere Nutzung der Ressourcen, durch die Entdeckungen der Wissenschaftler und die Anstrengungen der Menschheit – von Hunger, Krankheit, Analphabetismus und Angst, und daß wir im Laufe der Zeit in der Lage sein werden, eine Welt zu schaffen, in der überall wirtschaftliche, politische und soziale Gerechtigkeit herrschen wird und sich eine Kultur entfalten kann, die der menschlichen Intelligenz würdig ist.   LINUS PAULING (1962)

Ich nehme heute diesen Preis entgegen in dem beharrlichen Glauben an Amerika und in einem verwegenen Glauben an die Zukunft der Menschheit. Ich weigere mich, Verzweiflung als letzte Antwort auf die Widersprüchlichkeiten der Geschichte zu akzeptieren. Ich weigere mich zu akzeptieren, daß das ›So-Sein‹ der menschlichen Natur den Menschen grundsätzlich moralisch unfähig macht, nach dem ›Anders-Sein‹ zu streben, das ihm beständig vor Augen steht. Ich weigere mich, den Gedanken zu akzeptieren, daß der Mensch wie Treibgut auf dem Fluß des Lebens schwimmt und das sich um ihn her entfaltende Geschehen nicht beeinflussen kann.

MARTIN LUTHER KING (1964)

Wir müssen also unseren Blick nicht nur auf die Abschaffung des Krieges richten, sondern positiv denken und auf die Festigung des Friedens setzen. Wir müssen verstehen, daß der Friede eine süße Musik ist, eine Art kosmischer Melodie, die den Dissonanzen des Krieges weit überlegen ist. Wir müssen die Dynamik des weltweiten Machtkampfes umlenken, so daß aus einem zerstörerischen

Rüstungswettlauf, den keiner gewinnen kann, ein positiver Wettkampf wird, der sich die kreative Kraft des Menschen zunutze macht, um allen Nationen Frieden und Wohlstand zu bringen. Wir müssen, kurz gesagt, den Rüstungswettlauf zu einem ›Friedenswettlauf‹ machen. Wenn wir den Willen und die Entschlossenheit besitzen, einen solchen Vorstoß zu unternehmen, werden wir auch bislang fest verschlossene Türen aufstoßen und das drohende kosmische Klagelied in einen Psalm schöpferischer Ganzheit verwandeln. MARTIN LUTHER KING (1964)

Meiner Ansicht nach wird die Rolle unabhängiger Organisationen immer wichtiger. Sie sind die einzigen Körperschaften, die frei und entschlossen genug sind, dem Glauben und dem Idealismus in unserer Welt wieder Auftrieb zu geben. Sie verdienen noch viel mehr Unterstützung und Ermutigung als bisher.

Wenn Abrüstung überhaupt möglich ist, dann nur durch die unermüdliche, selbstlose Arbeit auf dem inoffiziellen Sektor. Das hat schon Albert Nobel seinerzeit betont und heutzutage ist es aktueller als je zuvor. Die Großmächte haben den gefährlichen Weg der Rüstung beschritten. Auf dem Wegweiser vor uns lesen wir ›Vernichtung‹. Kann der Marsch in diese Richtung überhaupt noch gestoppt werden? Ja, wenn die öffentliche Meinung die Macht einsetzt, die sie derzeit hat.

SEAN MACBRIDE (1974)

Andere Zivilisationen, darunter einige ›erfolgreichere‹, stehen unzählige Male auf den ›vorangegangenen‹ und ›folgenden‹ Seiten im Buch des Universums. Doch das sollte unsere heiligen Bemühungen um diese Welt nicht mindern, auf der wir, wie ein schwaches Licht in der Dunkelheit, einen Augenblick lang aus dem Nichts des dämmrigen Unbewußten unserer materiellen Existenz hervorgetreten sind. Wir müssen die Forderungen der Vernunft erfüllen und ein Leben schaffen, das unserer selbst und der Ziele, die wir nur undeutlich wahrnehmen, würdig ist.

ANDREJ SACHAROW (1975)

Die Armen sind wunderbare Menschen. Eines Abends holten wir vier Leute von der Straße. Eine Frau war in schrecklicher Verfassung, und ich sagte den Schwestern: Kümmert ihr euch um die anderen drei, ich sorge für diese hier, ihr geht es noch schlechter. Ich tat für sie, was ich aus Liebe tun konnte. Ich führte sie zu einem Bett, und auf ihrem Gesicht lag ein wunderschönes Lächeln. Sie nahm meine Hand und sagte: »Danke«. Dann starb sie.

Da konnte ich nicht anders, ich mußte vor ihr mein Gewissen prüfen und mich fragen, was ich an ihrer Stelle wohl gesagt hätte. Meine Antwort war ganz einfach. Ich hätte versucht, die Aufmerksamkeit ein wenig auf mich zu lenken, ich hätte gesagt, ich bin hungrig, ich sterbe, mir ist kalt, ich habe Schmerzen, oder etwas Ähnliches, aber sie gab mir viel mehr – sie gab mir ihre dankbare Liebe. Und sie starb mit einem Lächeln auf den Lippen. Nicht anders als der Mann, den wir aus der Gosse auflasen. Er war von Maden zerfressen und wir brachten ihn ins Heim. »Ich habe wie ein Tier auf der Straße gelebt, aber nun werde ich sterben wie ein Engel, geliebt und umsorgt.« Und es war großartig, zu erleben, welche Größe dieser Mann besaß; er starb, ohne jemanden zu beschuldigen oder zu verfluchen, ohne Vergleiche anzustellen. Wie ein Engel – das ist die Größe unserer Menschen. Und darum glauben wir, was Jesus gesagt hat: Ich war hungrig – ich war nackt – ich war heimatlos – ich war unerwünscht, ungeliebt, unbeachtet – und ihr habt mich aufgenommen.

Ich glaube, wir sind keine wahren Sozialarbeiter. In den Augen mancher Leute mag das, was wir tun, zwar wie soziale Arbeit aussehen, aber in Wirklichkeit sind wir Kontemplative im Herzen der Welt. Denn wir berühren den Leib Christi vierundzwanzig Stunden am Tag... Und ich glaube, daß unsere große Familie keine Bomben oder Gewehre braucht, um zu zerstören oder um Frieden zu bringen. Wir müssen nur zusammenkommen, einander lieben und uns den Frieden, die Freude, die Gegenwart des Herrn gegenseitig in die Häuser tragen. Dann werden wir alles Böse in der Welt überwinden.

MUTTER TERESA (1979)

Mit diesem Preis, den ich als Friedenspreis erhalten habe, will ich versuchen, den vielen, die kein Heim haben, eines zu geben. Weil ich glaube, daß die Liebe zu Hause beginnt; wenn wir den Armen ein Heim geben können, wird sich die Liebe immer weiter verbreiten. Wir werden durch diese verstehende Liebe Frieden bringen können und den Armen das Evangelium sein. Zunächst den Armen in unseren eigenen Familien, dann denen in unserem Land und dann den Armen in der ganzen Welt. Um dies zu vollbringen, müssen unsere Schwestern, muß unser Leben mit dem Gebet verwoben sein. Die Schwestern müssen Christus nahe sein, um zu verstehen und zu teilen. Denn Christus nahe sein, heißt verstehen und teilen können. Heute gibt es so viel Leid... Wenn ich einen hungrigen Menschen von der Straße hole, gebe ich ihm eine Schüssel Reis, ein Stück Brot. Dann habe ich ihn zufrieden gemacht, ich habe den Hunger gestillt. Doch wenn ein Mensch ausgeschlossen ist, sich unerwünscht, ungeliebt, ängstlich und von der Gesellschaft ausgestoßen fühlt – diese Art von Armut ist so schmerzlich und so unerträglich, und ich finde das sehr, sehr schwierig.

Laßt uns einander deshalb mit einem Lächeln begegnen, denn das Lächeln ist der Anfang der Liebe, und wenn wir einmal beginnen, einander zu lieben, wird es für uns ganz natürlich sein, auch zu handeln.

MUTTER TERESA (1979)

Wir leben in der Hoffnung, weil wir wie der heilige Paulus daran glauben, daß die Liebe niemals vergeht. Die Menschen haben in der Geschichte auf der ganzen Welt immer wieder Enklaven der Liebe geschaffen – durch aktive Solidarität und mit Blick auf eine umfassende Befreiung der Völker und der gesamten Menschheit.

Ich persönlich brauche die Versenkung in den inneren Frieden und die innere Klarheit des Gebets, um der Stille Gottes zu lauschen, das in unserem Leben und in der Geschichte unserer Zeit zu uns spricht.

Wegen unseres Glaubens an Christus und an die Menschheit müssen wir unsere bescheidenen Anstrengungen auf den Aufbau einer gerechteren und humaneren Welt richten. Und ich möchte mit allem Nachdruck erklären: *Eine solche Welt ist möglich.*

Um diese neue Gesellschaft zu schaffen, müssen wir die Hand in Freundschaft ausstrecken, ohne Bitterkeit und Haß, auch wenn wir zugleich in unserem Bemühen um die Verteidigung von Wahrheit und Gerechtigkeit niemals nachlassen. Wir wissen, daß wir mit geballten Fäusten nicht aussäen können. Für die Saat müssen wir die Hände öffnen. ADOLFO PÉREZ ESQUIVEL (1980)

Ich hätte gerne eine Stimme, die so vernehmlich ist wie die der Demütigen und Bescheidenen. Es wäre eine Stimme, die Ungerechtigkeit verurteilt und die Hoffnung auf Gott und auf die Menschheit verkündet. Denn diese Hoffnung ist die Hoffnung derer, die sich danach sehnen, mit allen Menschen als Brüder und Schwestern, als Kinder Gottes zusammenzuleben. ADOLFO PÉREZ ESQUIVEL (1980)

Der Friedensnobelpreis hat vielen neue Hoffnung gegeben, die in einer Welt leben, über die durch die Erfahrung von Leid, Krankheit, Armut, Mangel, Hunger, Unterdrückung, Ungerechtigkcit, Bosheit und Krieg

71

von Zeit zu Zeit der Schatten der Mutlosigkeit gefallen ist. Ein Schatten, der in manchen Menschen die Frage aufkommen ließ, ob Gott an uns denkt, ob er allmächtig ist und ob er uns Liebe und Mitleid entgegenbringt.

DESMOND MPILO TUTU (1984)

Wie wundervoll, wie passend, daß dieser Preis heute, am 10. Dezember, dem Tag der Menschenrechte, verliehen wird. Das sagt deutlicher als alles andere, daß diese Welt Gottes Welt ist, daß unsere Sache eine gerechte Sache ist, daß wir in Afrika und überall auf der Welt die Menschenrechte erhalten werden, daß wir in Südafrika und überall auf der Welt frei sein werden...

Im Namen aller, denen Sie neue Hoffnung und einen neuen Grund zur Freude gegeben haben, will ich diesen Preis ausschließlich als Stellvertreter annehmen.

Ich nehme diesen renommierten Preis im Namen meiner Familie entgegen, im Namen des Südafrikanischen Kirchenrates, im Namen meines Mutterlandes, im Namen aller, die sich der Gerechtigkeit, dem Frieden und der Versöhnung verschrieben haben.

Wenn Gott für uns ist, wer kann gegen uns
sein?   DESMOND MPILO TUTU (1984)

Für den Arzt, dessen Aufgabe es ist, sich für
das Leben einzusetzen, ist Optimismus ein
medizinischer Imperativ. Selbst wenn der
Ausgang zweifelhaft ist, fördert eine hoffnungsvolle Einstellung des Patienten dessen
Wohlbefinden und führt nicht selten zur Ge-
nesung. Pessimismus vermindert die Lebens-
qualität und gefährdet die Zukunft. Eine posi-
tive Weltsicht ist wesentlich, wenn wir eine
lichtere Zukunft gestalten wollen.

Der amerikanische Dichter Langston Hug-
hes drängte:

Haltet an Träumen fest,
denn wenn die Träume sterben,
ist das Leben ein Vogel mit
gebrochenen Flügeln
und kann nicht fliegen.

Wir müssen an dem Traum festhalten, daß
die Vernunft siegen wird. Die heutige Welt ist
von Angst und Unsicherheit erfüllt. Doch so
groß die Gefahr auch ist, noch größer sind die
Chancen. Haben Wissenschaft und Techno-

logie uns auch an den Rand des Abgrunds katapultiert, so hat doch derselbe Erfindungsgeist die Menschheit auch an den Rand des Überflusses gebracht.

Nie zuvor war es möglich, alle Hungrigen zu ernähren. Nie zuvor war es möglich, allen Heimatlosen ein Heim zu geben. Nie zuvor war es möglich, allen Analphabeten Bildung zu vermitteln. Nie zuvor war es uns möglich, soviele Krankheiten zu heilen. Zum ersten Mal können Wissenschaft und Medizin Mühsal und Leid verringern.

Nur diejenigen, die das Unsichtbare sehen, können das Unmögliche tun. Doch um das Unmögliche tun zu können, darf es uns, in den Worten Jonathan Schells, ›nicht wichtig sein, selbst zu überleben, sondern überlebt zu werden. Wir wünschen uns die Sicherheit, daß, wenn wir als Individuen sterben, die Menschheit weiterleben wird.‹

Wenn wir Erfolg haben wollen, muß diese Vision von Millionen von Menschen Besitz ergreifen. Wir müssen jede Generation davon überzeugen, daß sie den Planeten Erde nur auf Zeit bewohnt. Die Erde gehört ihr nicht. Es steht nicht in ihrem Belieben, noch ungeborene Generationen zu verdammen. Es steht ihr nicht frei, die Vergangenheit der Menschheit auszulöschen oder deren Zukunft zu verdüstern. Nur das Leben selbst kann auf die heilige Kontinuität Anspruch erheben. Die Größe der Gefahr und ihre Nähe müssen die menschliche Familie in diesem Jahrhundert zu einer gemeinsamen Bemühung um den Frieden zusammenschweißen. Auf der Schwelle eines neuen Jahrtausends ist der Weltfriede nicht länger eine entfernte Möglichkeit. Nach ihm rufen die tiefsten geistigen Kräfte, die immer dann freigesetzt werden, wenn sich die Menschheit von ihrer Vernichtung bedroht fühlt. Die Vernunft, die Kreativität und der Mut, den die Menschen besitzen, halten den Glauben daran wach, daß die Menschheit das, was sie erschafft, auch kontrollieren kann und wird.

DR. JEWGENIJ TSCHASOW
für die Internationale Ärztevereinigung zur
Verhinderung eines Atomkriegs (1985)

Hoffnung ist die stärkste Antriebskraft für ein Volk. Hoffnung, die Veränderungen bewirkt, die neue Realitäten schafft, ebnet den Weg zur Freiheit. Wenn sich die Hoffnung behauptet hat, müssen sich Mut und Weisheit vereinen. Das ist die einzige Möglichkeit, Gewalt zu vermeiden, die einzige Möglichkeit, die Ruhe zu bewahren, die man braucht, um auf Angriffe friedfertig zu reagieren.

OSCAR ARIAS SÁNCHEZ (1987)

Die Geschichte wurde nicht von Menschen geschrieben, die Fehlschläge voraussagten, die ihre Träume aufgaben, die ihre Prinzipien verrieten, die ihrer Trägheit gestatteten, ihre Intelligenz außer Kraft zu setzen.

OSCAR ARIAS SÁNCHEZ (1987)

Betrachtet man die Größe der Herausforderung, so ist es nicht verwunderlich, daß viele entmutigt werden, oder daß Weltuntergangspropheten Konjunktur haben, wenn sie das Scheitern des Kampfes gegen die Armut ankündigen, wenn sie den Fall von Demokratien verkünden oder die Sinnlosigkeit aller Friedensbemühungen voraussagen.

Ich teile diesen Defätismus nicht. Ich kann nicht glauben, daß es realistisch sein soll, Elend, Gewalt und Haß zu tolerieren. Ich

76

glaube nicht, daß ein Hungernder als Um-
stürzler behandelt werden sollte, weil er auf
sein Leid aufmerksam macht. Ich werde nie
gutheißen, daß Gesetze dazu mißbraucht
werden können, Tragödien zu rechtfertigen
oder die Dinge so zu lassen, wie sie sind, oder
zu bewirken, daß wir unsere Vorstellungen
von einer besseren Welt aufgeben. Das Recht
ist der Weg zur Freiheit und muß als solcher
für alle die Brücke zum Fortschritt bilden.

OSCAR ARIAS SÁNCHEZ (1987)

Ich fühle mich geehrt, beschämt und tief be-
wegt, daß Sie diesen wichtigen Preis einem
einfachen Mönch aus Tibet verleihen. Ich bin
nichts Besonderes. Aber ich verstehe den
Preis als eine Anerkennung der wahren Werte
von Selbstlosigkeit, Liebe, Mitleid und Gewaltlosigkeit, die ich in Übereinstimmung
mit Buddha und den großen Weisen Indiens
und Tibets zu praktizieren versuche.

DER DALAI LAMA (1989)

Ich bin ein buddhistischer Mönch und deshalb erstreckt sich meine Sorge auf alle Mit-

77

glieder der menschlichen Familie und noch
weiter, auf alle fühlenden Wesen, die leiden.
Ich glaube daran, daß alles Leiden von Unwissenheit verursacht wird. Menschen fügen anderen Leid zu, wenn sie nur ihr eigenes Glück
oder ihre eigene Befriedigung suchen. Wahres
Glück jedoch entsteht aus einem Gefühl inneren Friedens und inneren Gelassenheit; die
Voraussetzungen dafür sind Selbstlosigkeit,
Liebe und Mitgefühl und die Beseitigung von
Unwissenheit, Egoismus und Habsucht.

DER DALAI LAMA (1989)

Mein Traum ist, daß die ganze tibetanische
Hochebene eine freie Zufluchtstätte werden
soll, in der Mensch und Natur in Frieden und
harmonischer Ausgewogenheit leben können. Sie wäre ein Ort, an dem Menschen aus
aller Welt die wahre Bedeutung des Friedens
in ihrem Inneren erforschen könnten, mit
Abstand von den Spannungen und Belastungen, die es sonst fast überall auf der Welt gibt.
Tibet könnte ein schöpferisches Zentrum für
die Förderung und Entwicklung des Friedens
werden.

DER DALAI LAMA (1989)

Die Tragödie des Krieges

Eines Tages beobachtete ich vom Fenster meines Hauses aus, wie drei österreichische Soldaten im Kugelhagel zusammenbrachen. Sie schienen tot zu sein und wurden auf einen Platz in der Nähe getragen. Zwei Stunden später sah ich sie wieder: Einer von ihnen rang noch immer mit dem Tode. Sein Anblick ließ mir das Blut in den Adern gefrieren, und ich wurde von großen Mitleid überwältigt. Ich konnte die drei Soldaten nicht länger als Feinde betrachten: Sie waren Männer wie ich. Mit einem tiefen Gefühl der Reue, als hätte ich sie eigenhändig umgebracht, dachte ich an ihre Familien, die sich vielleicht im selben Moment auf ihre Heimkehr vorbereiteten.

In diesem Augenblick empfand ich die ganze Grausamkeit und Unmenschlichkeit des Krieges, die Völker zu ihrem Schaden aufeinander hetzt, Völker, die an nichts anderem interessiert sein sollten, als sich zu verstehen und Freunde zu sein. Ich empfand noch häu-

fig so, wenn ich die Toten und Verwundeten
der Unabhängigkeitskriege sah, an denen ich
selbst teilnahm.

ERNESTO TEODORO MONETA (1907)

Auf dem römischen Kapitol gibt es eine
Skulptur aus Marmor, die mir in ihrem
schlichten Ausdruck eine der schönsten zu
sein scheint. Das ist der ›Sterbende Gallier‹.
Er liegt tödlich verwundet auf dem Schlacht-
feld. Dieser straffe Körper, gestählt in Arbeit
und Kampf, jetzt ermattet im Untergang. Das
gesenkte Haupt mit dem widerspenstigen
Haar, der gebeugte, starke Nacken, die grobe,
kräftige Arbeitshand, die gerade noch das
Schwert schwang, jetzt auf die Erde gestützt,
um in letzten Anstrengungen den sinkenden
Körper aufrecht zu halten.

Er war in den Kampf getrieben worden für
fremde Götter, die er nicht kannte, fern vom
eigenen Land. So begegnete er seinem Schicksal. Nun liegt er dort und verblutet schwei-
gend. Der Kampflärm um ihn her dringt nicht
länger an sein Ohr, der verschleierte Blick ist
nach innen gewandt; vielleicht sieht er mit
einem letzten klaren Blick das Heim der

Kindheit, wo das Leben einfach und glücklich war, den Heimatort, umgeben vom gallischen Wald.

Genauso sehe ich die leidende Menschheit, genauso sehe ich das leidende Volk Europas verbluten auf den Schlachtfeldern nach den Kämpfen, die größtenteils nicht seine eigenen waren.

Das ist das Ergebnis von Machtgier, Imperialismus und Militarismus, die über die Erde Amok gelaufen sind.   FRIDTJOF NANSEN (1922)

Wir müssen uns dem Paradox stellen, daß die Welt, die in den Krieg zieht, gewöhnlich eine Welt ist, die aufrichtig Frieden wünscht. Krieg ist in der Hauptsache nicht das Ergebnis böser Absichten, sondern die Folge guter Absichten, die fehlschlagen oder enttäuscht werden. Er wird in der Regel nicht von bösen Menschen geführt, die sich selbst im Unrecht wissen, sondern ist das Ergebnis politischer Handlungen guter Menschen, die leidenschaftlich davon überzeugt sind, daß sie sich im Recht befinden.   NORMAL ANGELL (1933)

Wer wäre so blind, nicht zu erkennen, daß in einem modernen Krieg der Sieg eine Illusion ist, daß die Ernte eines Krieges nur Elend, Zerstörung und Erniedrigung sein kann?

Auch beim nächsten Krieg würden die Völker der Welt wieder aufgefordert werden zu kämpfen.

Politiker und Philosophen haben wiederholt darauf hingewiesen, daß bestimmte Werte wie Freiheit, Ehre und Selbstachtung höher stehen als Frieden oder sogar als das Leben. Das mag zutreffen. Zweifellos sind viele der Ansicht, daß der Verlust der Menschenwürde und der Selbstachtung, daß die Ketten der Sklaverei selbst für den Frieden ein zu hoher Preis sind. Doch die entsetzliche Realität der modernen Kriegführung erlaubt uns nicht einmal mehr diese fatale Alternative. Tod und Zerstörung in einem Atomkrieg bieten uns lediglich eine selbstmörderischen Flucht, keine Freiheit. Darin besteht der große Zwiespalt der Menschheit. Das Wohlergehen und die Hoffnungen der Völker können nie Wirklichkeit werden, solange nicht der Frieden – und gleichzeitig Freiheit, Ehre und Selbstachtung – gesichert sind.

RALPH J. BUNCHE (1950)

Seit Jahrtausenden... hat der Mensch wenig auf den Ratschlag weiser Männer gegeben und war – zu seinem Verhängnis, wenn auch nicht aus Absicht – weniger rechtschaffen, weniger beständig, weniger vernünftig und weniger friedlich als er hätte sein können, als in seiner Macht stand. Er ist vom Wege des Friedens und der Brüderlichkeit abgekommen und durch seine Hingabe an einen engstirnigen Nationalismus, an rassische und religiöse Vorurteile, an Habsucht und Machtgier in die Irre gegangen. Doch ungeachtet dessen, ungeachtet der fast ununterbrochenen Kriege, zu denen ihn die schlechten Beziehungen unter den Menschen verdammt haben, sind seine Fortschritte nicht zu leugnen. In der Wissenschaft hat er in materieller Hinsicht wahre Wunderwerke vollbracht und seine Welt verwandelt. Er hat die Natur gezähmt und große Zivilisationen geschaffen. Doch er hat es nie gelernt, mit sich selbst gut auszukommen. Die Werte, nach denen er lebte, waren vorwiegend materialistische; seine geistigen Werte blieben dahinter weit zurück. Er hat wenig spirituelles Genie bewiesen und wenig Fortschritt bei der Entwicklung von mehr Brüderlichkeit zu verzeichnen. Im gegenwärtigen Atomzeitalter könnte sich dies als tödliche Schwäche erweisen.

Alfred Nobel hat vor einem halben Jahrhundert mit prophetischem Blick vorausgesehen, daß – wenn bereits seine selbstzufriedenen Zeitgenossen so gleichmütig einen Krieg in Betracht ziehen konnten – bald der Tag kommen würde, an dem die Menschheit vor der schicksalhaften Alternative Frieden oder Rückfall ins finstere Mittelalter stünde. Man kann sich mit Recht fragen, ob wir dieses Stadium nicht schon längst erreicht haben. Die Erfindungskraft des Menschen hat seine Vernunft so weit überholt – nicht seine Fähigkeit, die Vernunft einzusetzen, sondern seine Bereitschaft dazu –, daß die Völker der Welt sich am Rande der Katastrophe bewegen. RALPH J. BUNCHE (1950)

Was uns aber eigentlich zu Bewußtsein kommen sollte und schon lange zuvor hätte kommen sollen, ist dies, daß wir als Übermenschen Unmenschen geworden sind. Wir haben es geschehen lassen, daß in den Kriegen Menschen in Menge – im zweiten Welt-

krieg an die 20 Millionen – vernichtet wurden, daß durch Atombomben ganze Städte
mit ihren Bewohnern zu nichts wurden, daß
durch Brandbomben Menschen zu lodernden
Fackeln wurden. Wir nahmen solche Ge-
schehnisse in Radiosendungen und Zeitun-
gen zur Kenntnis und beurteilten sie danach,
ob sie einen Erfolg der Völkergruppe, der wir
zugehörten, oder unseres Gegners bedeuteten. Wenn wir uns eingestanden, daß dieses
Geschehen aus einem unmenschlichen Tun
bestehe, taten wir es in dem Gedanken, daß
wir durch die gegebene Tatsache des Krieges
dazu verurteilt seien, es geschehen zu lassen.
Indem wir uns so ohne weiteres in dieses
Schicksal ergeben, machen wir uns der Unmenschlichkeit schuldig.

Die Erkenntnis, die uns heute nottut, ist
die, daß wir miteinander der Unmenschlichkeit schuldig sind. Das furchtbare gemeinsame Erlebnis muß uns dazu aufrütteln, alles
zu wollen und zu erhoffen, was eine Zeit her-
aufführen kann, in der Kriege nicht mehr sein
werden.

Dieses Wollen und Hoffen kann nur noch
darauf gehen, daß wir durch einen neuen
Geist die höhere Vernünftigkeit erreichen,

85

die uns von dem unseligen Gebrauch der uns
zu Gebote stehenden Macht abhält.

ALBERT SCHWEITZER (1952)

Über die Vergabe des Friedensnobelpreises
an einen Soldaten ist viel geredet worden. Mir
selbst erscheint die Wahl nicht so bemerkens-
wert wie offenbar vielen anderen. Ich kenne
die Schrecken und Tragödien des Krieges aus
eigener Anschauung. Heute, als Vorsitzender
der amerikanischen Kommission für Kriegs-
denkmäler, ist es meine Aufgabe, den Bau und
die Instandhaltung von Soldatenfriedhöfen in
vielen Ländern Europas zu überwachen...
Wieviele Menschenleben ein Krieg kostet,
wird mir ständig vor Augen geführt und steht
auf den Tafeln, deren Säulen wie Grabsteine
aussehen. Mir liegt nichts näher, als Mittel
oder Methoden zu finden, die Katastrophe
eines weiteren Krieges zu verhindern.

GEORGE C. MARSHALL (1953)

Wir können uns heutzutage weniger denn je
durch Gewalt verteidigen, denn es gibt keine
effektive Verteidigung gegen die ungeheuer-

lichen Auswirkungen von Atomraketen. Gerade wegen dieser Wirksamkeit können wir ihre Anwendung nicht dulden, nicht einmal in Gedanken, denn die Folge wäre unweigerlich eine ebenso schreckliche Vergeltung. So ist der Friede, wie es heißt, ein Gleichgewicht des Schreckens, und die Anwendung maximaler Gewalt wird von der Gewißheit verhindert, daß sie auch von der Gegenseite mit mörderischen Folgen ausgeübt würde. Der Frieden sollte jedoch mehr sein als dieses bange Zurückschrecken vor einem universellen Selbstmord.

Wir stehen heute vor der blanken, unausweichlichen Tatsache, daß wir unsere Gesellschaft nicht durch Krieg verteidigen können, weil totaler Krieg eine totale Zerstörung bedeutet, und wenn wir Krieg als Mittel der Politik in Betracht ziehen, werden wir früher oder später einen totalen Krieg haben. Deshalb ist die beste Verteidigung des Friedens nicht die Gewalt, sondern die Beseitigung der Ursachen für Kriege und eine internationale Übereinkunft, die den Frieden auf solidere Fundamente als die Angst vor Vernichtung stellt.   LESTER B. PEARSON (1957)

Keine Streitigkeit zwischen Nationen kann einen Atomkrieg rechtfertigen. Es gibt keine Verteidigung gegen Atomwaffen, die nicht durch eine Steigerung der Angriffsintensität außer Kraft gesetzt werden könnte. Es widerspräche dem Wesen von Kriegen, wenn sich Nationen darauf verständigen würden, nur ›begrenzte‹ Kriege zu führen, nur ›kleine‹ Atomwaffen einzusetzen – und selbst kleine Kriege sind heute gefährlich, weil die Wahrscheinlichkeit besteht, daß ein kleiner Krieg sich zu einer weltweiten Katastrophe ausweitet. LINUS PAULING (1962)

Ich benutze den Ausdruck ›Streben nach Frieden‹ absichtlich nicht zu oft. Die Sehnsucht nach Frieden ist in den Herzen aller Menschen verankert. Doch das Streben danach, das heute so drängend ist, bildet keine Garantie für einen ewigen Frieden, es kann auch nicht alle Konflikte zwischen den Völkern beenden, denn die wirtschaftlichen und politischen Wurzeln solcher Konflikte greifen tief. Es kann keinen bleibenden Zustand der Harmonie und des Verstehens zwischen den Menschen schaffen. Unser unmittelbares

Streben muß auf die Verhinderung dessen gerichtet sein, was in der gegenwärtigen Situation die größte Gefahr für das Überleben der
Menschheit darstellt: die atomare Bedrohung.　　　　　ALVA REIMER MYRDAL (1982)

Die Experten sind in ihrer Mehrzahl zu dem
Schluß gekommen, daß zum Zweck der Ab-
schreckung etwa 400 Interkontinental-Rake-
ten genügen würden. Jede Rakete mehr oder
weniger bedeutete einen weiteren Schritt in
Richtung Instabilität. Ihre Herstellung war
unnötig, und welche Kosten hat sie verursacht...

Ich werde unablässig eines wiederholen,
bis es auch die Politiker endlich begreifen:
›Wenn man genug hat, braucht man nicht
noch mehr‹.　　　　ALVA REIMER MYRDAL (1982)

Wenn wir es als Mediziner mit einem Patienten in kritischem Zustand zu tun haben,
versuchen wir ihn zu retten, indem wir all
unsere Energien und Kenntnisse mobilisie-
ren, einen Teil unseres Herzens opfern und
uns um die Unterstützung unserer erfahren-

sten Kollegen bemühen. Heute stehen wir vor einer schwerkranken Menschheit, die von Mißtrauen und von der Angst vor einem Atomkrieg zerrissen wird. Um sie zu retten, müssen wir an das Gewissen der Völker appellieren, alle Nuklearwaffen ablehnen, Egoismus und Chauvinismus verwerfen und eine günstige Atmosphäre des Vertrauens schaffen. Im Atomzeitalter sind wir alle miteinander verbunden. Die Erde ist unsere einzige gemeinsame Heimat, die wir nicht verlassen können. Diese neue selbstmörderische Situation ruft nach einem neuen Denken und davon müssen wir diejenigen, die die politischen Entscheidungen fällen, überzeugen.

Unsere berufliche Pflicht ist es, das Leben auf der Erde zu schützen. Dem Eid des Hyppokrates folgend werden Ärzte ihr Wissen, ihre Herzen und ihre Leben dem Glück ihrer Patienten und dem Wohlergehen der Völker dieser Welt widmen.   DR. JEWGENIJ TSCHASOW
für die Internationale Ärztevereinigung zur
Verhinderung eines Atomkriegs (1985)

Ärzte haben der ganzen Welt gezeigt, daß ein Atomkrieg nicht nur das Ende der Zivilisation bedeuten, sondern auch die Existenz des Lebens auf der Erde überhaupt beeinträchtigen würde. Ich war – wie sicherlich viele meiner Kollegen bei der Internationalen Ärztevereinigung zur Verhinderung eines Atomkrieges – erschüttert, jedoch nicht in erster Linie durch die Gesamtzahl der potentiellen Opfer eines Atomkrieges. Der menschliche Geist kann sich eine Zahl wie 200 Millionen Opfer nur schwer vorstellen. Ein Toter ist der Tod, heißt es, aber eine Million Tote sind Statistik. Für uns Ärzte ist das Leben selbst Ziel unserer Arbeit, und jeder Tod ist eine Tragödie. Da wir ständig mit der Sorge um Patienten beschäftigt sind, fühlten wir uns aufgerufen, die Regierungen und Völker zu warnen, daß der kritische Punkt überschritten ist: Die Medizin kann den Opfern eines Atomkrieges – den Verwundeten, Verbrannten, und Strahlenkranken – nicht einmal minimalste Hilfe zuteil werden lassen, und dies gilt auch für die Bevölkerung des Landes, das den Krieg begonnen hat.   DR. JEWGENIJ TSCHASOW
für die Internationale Ärztevereinigung zur
Verhinderung eines Atomkriegs (1985)

Dieser Rüstungswettlauf ist wie Krebs, bei dem sich die Zellen vermehren, weil sie genetisch darauf programmiert sind, nichts anderes zu tun. Raketen mit Atomsprengköpfen auf ganze Länder zu richten ist ein noch nie dagewesener Fall moralischer Verworfenheit. Das Entsetzen wird durch sein Ausmaß, durch die Verfeinerung der Tötungsmethoden und die aseptische, an Orwell erinnernde Sprache verschleiert: ›Trägerraketen‹ leisten einen ›Austausch‹, bei dem der Tod von Millionen von Menschen ein ›Begleitschaden‹ ist. Bertrand Russell hat auf den ethischen Bankrott unseres Zeitalters hingewiesen: »Unsere Welt hat ein eigentümliches Sicherheitskonzept und eine verdrehte Moral hervorgebracht. Waffen werden wie Schätze gehütet, während Kinder dem Tod durch Verbrennen ausgesetzt sind.« Dr. Bernard Lown
für die Internationale Ärztevereinigung zur
Verhinderung eines Atomkriegs (1985)

Nichts löst in der jüdischen Tradition soviel Schrecken und Widerstand aus wie der Krieg. Unser Abscheu vor dem Krieg spiegelt sich in unserem Mangel an Kriegsliteratur. Schließ-

lich hat Gott die Torah geschaffen, um Ungerechtigkeit und Krieg zu beseitigen. Soldaten
finden im Talmud nur geringe Beachtung: Ju-
das Maccabäus ist nicht einmal erwähnt, Bar-
Kochba wird aufgeführt, aber negativ be-
schrieben. David, dem großen Krieger und Er-
oberer wird es nicht erlaubt, den Tempel zu
bauen, erst sein Sohn Salomon, ein Mann des
Friedens, errichtet Gottes Wohnsitz. Sicher
mögen einige Kriege nötig oder unvermeidbar
gewesen sein, aber sie galten nie als »heilig«.
Ein heiliger Krieg ist für uns ein Widerspruch
in sich. Krieg entmenschlicht all jene, die ihn
führen, er setzt sie herab, erniedrigt sie. Im
Talmud steht: »Talmidei hakhamim sher-
marbin shalom baolam« (Die weisen Menschen werden Frieden schaffen).

ELIE WIESEL (1986)

Wir müssen uns an das Leid meines Volkes
erinnern und auch an das der Ägypter, der
Kambodschaner, der ›Boat-People‹, der Palä-
stinenser, der Amazonas-Indianer, der argen-
tinischen ›desaparecidos‹ – die Liste scheint
endlos.

Erinnern wir uns an Hiob, der, nachdem er

93

alles verloren hatte – seine Kinder, seine Freunde, sein Eigentum und sogar seinen Streit mit Gott – trotzdem die Kraft für einen Neuanfang fand und sein Leben wieder aufbaute. Hiob war entschlossen, die ihm von Gott anvertraute Schöpfung – so unvollständig sie auch sein mochte – nicht abzulehnen.

ELIE WIESEL (1986)

Die heutige Welt ist gespalten in jene, die in Angst vor der Vernichtung durch einen Atomkrieg leben, und jene, die Tag für Tag in Kriegen sterben, die mit konventionellen Waffen geführt werden. Die Furcht vor einem letzten Krieg ist so groß, daß viele Menschen gegenüber dem Wettrüsten und dem Einsatz nichtatomarer Waffen erschreckend unempfindlich geworden sind. Wir müssen unbedingt und ohne Unterschied dafür kämpfen, daß sich weder Hiroshima noch Vietnam wiederholen – unsere Intelligenz hält uns dazu an, und unser Mitleid befiehlt es uns.

OSCAR ARIAS SÁNCHEZ (1987)

Wie edel ein Kreuzzug auch sein mag, es wird immer Menschen geben, die sein Scheitern wünschen und fördern. Einige wenige scheinen den Krieg als normalen Lauf der Dinge und als Lösung für Probleme zu akzeptieren. Welche Ironie, daß starke Kräfte über die Unterbrechung von Kriegen und über Versuche, die Ursachen des Hasses zu beseitigen, in Zorn geraten! Welche Ironie, daß jede Absicht, einen Krieg zu beenden, Wut und Aggression auslöst, als ob wir den Schlaf der Gerechten stören oder eine notwendige Maßnahme aufhalten wollten, und nicht ein herzzerreißendes Übel! Welche Ironie, daß gerade die Friedensbewegungen entdecken, daß für viele Menschen der Haß stärker ist als die Liebe, daß das Streben nach Macht durch militärische Siege viele dazu bringt, ihre Vernunft zu verlieren, alle Scham zu vergessen und die Geschichte zu verraten.

Oscar Arias Sánchez (1987)

Gewalt und Gewaltlosigkeit

Ich glaube, daß das größte Kriegsrisiko in den Köpfen derjenigen Menschen liegt, die starrsinnig und ohne Reue auf die Rechtfertigung vergangener Kriege aus sind. Vielleicht ist auf einer Welt wie dieser Platz für ein paar Tausend Menschen wie die Quäker, die einen entgegengesetzten Standpunkt vertreten und von der Annahme ausgehen, daß der Krieg weder früher noch heute noch in Zukunft und weder aus praktischen noch aus moralischen Gründen gerechtfertigt werden kann.

HENRY J. CADBURY (1947)
für die amerikanische Gesellschaft der Freunde
(Quäker)

Das bedeutet nicht, daß Kriege nicht für gerechte Ziele geführt werden. Es bedeutet, daß wir nicht daran glauben, daß sie die einzigen Mittel sind, um solche Ziele zu erreichen. Wir glauben, daß die Mittel den Zielen nicht angemessen sind: Je besser die Ziele sind, für die die Menschen kämpfen, desto weniger wirkungsvoll und moralisch geeignet ist der Krieg als Methode. Auf diesem speziellen Gebiet fällt die Menschheit hinter die Normen zurück, die sie anderswo akzeptiert hat. Der Quäker ist deshalb kein wirklichkeitsfremder Perfektionist, sondern ein praktischer Moralist. Er glaubt, daß das Problem mit anderen Mitteln gelöst werden kann. Er glaubt, daß das Problem des Krieges ein moralisches ist, und daß die Kraft der Religion zu seiner Lösung Wesentliches beitragen kann. Das Wesen der Religion einerseits und die Aufgabe, den Krieg abzuschaffen, andererseits, scheinen uns perfekt aufeinander abgestimmt, wie Werkzeug und Aufgabe es sein sollten. Die Religion befaßt sich mit dem spirituellen Leben des Menschen. Die Beseitigung des Krieges ist ein spirituelles Problem, und darum dürfte es nicht verwundern, daß wir in allen Stadien unserer religiösen Entwicklung an dieser Überzeugung festhalten.

HENRY J. CADBURY (1947)
für die amerikanische Gesellschaft der Freunde
(Quäker)

Zunächst haben wir uns als Individuen ge-
fragt: Was soll ich tun? Was ist meine Pflicht?
Was kann ich bewirken? Sobald ein einzelner
Mensch glaubt, daß der Krieg von Übel ist, sagen wir, auch wenn es sich einfältig und naiv
anhört: »Wenn der Krieg von Übel ist, dann
nehme ich nicht daran teil«, wie man auch
sagen würde, »wenn Trunkenheit von Übel
ist, dann trinke ich nicht«, oder »wenn die
Sklaverei von Übel ist, dann halte ich keine
Sklaven«. Ich weiß, daß das zu einfach klingt,
fast töricht. Doch dies ist nun einmal unsere
Einstellung, und das bedeutet natürlich, daß
es in jedem Krieg Quäker gab, die nicht nur
Strafen, Folter, Gefangenschaft oder Exil er-
litten haben, sondern auch mit dem Tod bedroht wurden, was auch einen Soldaten er-
wartet, nur aus anderen Gründen... Wir sind
uns bewußt, daß es Zeiten gibt, in denen Widerstand zunächst als die wahre Tugend erscheint, und dann können nur jene, die mit
ihrem religiösen Pazifismus am tiefsten ver-
wachsen sind, anders als durch physische
Mittel Widerstand leisten. Wir haben gelernt,
daß der Geist letztlich das Böse besiegen
kann, und wir glauben, daß viele, die in der
jüngsten Vergangenheit widerwillig Gewalt

angewandet haben, am Ende diese Lektion
gelernt haben.   HENRY J. CADBURY (1947)
für die amerikanische Gesellschaft der Freunde
(Quäker)

Ich nehme den Friedensnobelpreis zu einem
Zeitpunkt entgegen, da 22 Millionen Neger
in den Vereinigten Staaten von Amerika an
einem schöpferischen Kampf beteiligt sind,
der die lange Nacht der Rassendiskriminie-
rung beenden will. Ich nehme den Preis im
Namen einer Bürgerrechtsbewegung entgegen, die mit Entschlossenheit und souveräner
Mißachtung von Risiken und Gefahren die
Herrschaft von Freiheit und Gerechtigkeit
anstrebt. Ich denke daran, daß erst gestern
unsere Kinder in Birmingham, Alabama,
nach Brüderlichkeit riefen und Flammenwer-
fer, Bluthunde und Tod als Antwort erhielten.
Ich denke daran, daß sich erst gestern junge
Leute in Philadelphia, Mississippi, für das
Wahlrecht einsetzten und brutal zusammen-
geschlagen und ermordet wurden. Und erst
gestern wurden über vierzig Gotteshäuser im
Staate Mississippi beschossen und angezün-
det, weil sie denjenigen, die die Rassentren-

nung nicht dulden wollten, Zuflucht boten.
Ich denke daran, daß meine Leute von einer
zehrenden, drückenden Armut heimgesucht
werden, die sie an die unterste Stufe der wirtschaftlichen Leiter kettet.

Deshalb muß ich mich fragen, warum dieser Preis gerade einer so hart bedrängten Bewegung zuerkannt wird, die sich in ständigem Kampf befindet, einer Bewegung, die den
Frieden und die Brüderlichkeit, die der Nobelpreis auszeichnen will, noch nicht erlangt
hat.

Nach reiflicher Überlegung bin ich zu dem
Schluß gekommen, daß dieser Preis, den ich
für die Bewegung entgegennehme, eine Anerkennung dafür darstellt, daß Gewaltlosigkeit
unsere Antwort auf die wichtigsten politischen und moralischen Fragen unserer Zeit
ist – auf die Notwendigkeit, daß die Menschheit Unterdrückung und Gewalt überwindet,
ohne auf Unterdrückung und Gewalt zurück-
zugreifen. Zivilisation und Gewalt sind einander entgegengesetzte Konzepte. Die Neger
der Vereinigten Staaten haben sich das indi-
sche Volk zum Vorbild genommen und wie
dieses gezeigt, daß Gewaltlosigkeit keine ste-
rile Passivität ist, sondern eine mächtige mo-

ralische Kraft, die eine Veränderung der Gesellschaft bewirkt. Früher oder später werden alle Völker der Welt miteinander in Frieden leben müssen, und auf diese Weise die drohende kosmische Elegie in einen schöpferischen Psalm der Brüderlichkeit verwandeln. Um dies zu erreichen, muß die Menschheit für alle Konflikte eine Methode entwickeln, die auf Rachsucht, Aggression und Vergeltung verzichtet. Die Basis für diese Methode ist Liebe.   MARTIN LUTHER KING (1964)

Gewaltlosigkeit versucht, den spirituellen und moralischen Mangel als Hauptproblem des modernen Menschen zu erkennen und auszugleichen. Sie versucht, moralische Ziele durch moralische Mittel zu erreichen. Gewaltlosigkeit ist eine gewaltige und gerechte Waffe. Sie ist eine Waffe, die in der Geschichte nicht ihresgleichen hat, die schlägt, ohne zu verwunden und den adelt, der sie führt.   MARTIN LUTHER KING (1964)

Wir als ›Peace People‹ gehen noch viel weiter: Wir glauben an die Beseitigung von Barrieren, aber wir glauben auch an die nachdrückliche Versöhnung zwischen den Völkern, indem wir sie dazu bringen, daß sie sich kennenlernen, die Sprache des anderen sprechen, die Ängste und Überzeugungen des anderen verstehen, und sich körperlich, philosophisch und geistig näher kommen. Es ist viel schwerer, einen Nachbarn zu töten als Tausende unbekannter und feindlicher Fremder im Zielgebiet einer Atomrakete. Wir müssen eine Welt schaffen, in der es keine unbekannten, feindlichen Fremden im Zielgebiet irgendwelcher Raketen gibt, und das wird eine Menge außerordentlich harter Arbeit erfordern.

Die einzige Kraft, die die Hindernisse niederreißen kann, ist die Kraft der Liebe, die Kraft der Wahrheit, die Seelenkraft...

Wir haben uns der Gewaltlosigkeit, der Kraft der Wahrheit und Liebe, der Seelenkraft leidenschaftlich und aus vollem Herzen verschrieben. Jenen, die uns naive Utopisten und Idealisten nennen, antworten wir, daß wir die einzigen Realisten sind, und daß diejenigen, die immer noch den Militarismus unterstützen, nur die Selbstzerstörung der Menschheit vorantreiben; die ›Rechten‹ wie die ›Linken‹ werden dann die Toten zur Rechten und zur Linken sein, und Tod und Zerstörung werden rechts, links und in der Mitte, im Osten und Westen, Norden und Süden herrschen.

Wir wünschen denen, die im Pentagon und im Kreml und in allen anderen großen Zentren des Militarismus die Lichter vierundzwanzig Stunden am Tag brennen lassen, ein befreites, kreatives und glückliches Leben an Stelle ihrer seelenlosen Arbeit, die nur auf Selbstzerstörung abzielt.

BETTY WILLIAMS (1976)

Ich möchte diese Auszeichnung im Namen der Völker Lateinamerikas in Empfang nehmen, und insbesondere im Namen der Ärmsten und Niedrigsten meiner Brüder und Schwestern, weil sie von Gott am meisten geliebt werden. Ich empfange ihn im Namen meiner eingeborenen Brüder und Schwestern, der Bauern, Arbeiter und Jugendlichen – im Namen der Tausenden von Angehörigen religiöser Orden und der Männer und Frauen guten Willens, die ihre Privilegien aufgeben, um den Lebensweg der Armen mitzugehen und die für eine neue Gesellschaft kämpfen.

Für einen Mann wie mich selbst – eine leise Stimme im Dienste derjenigen, die keine Stimme haben –, für einen, der darum kämpft, daß der Schrei des Volkes in all seiner Macht gehört wird, für einen, der nichts weiter ist als ein Lateinamerikaner und Christ, bedeutet es ohne Zweifel die höchste Ehre, als Diener des Friedens betrachtet zu werden.

Ich komme von einem Kontinent, der zwischen Schmerz und Hoffnung lebt. Für diesen Kontinent, in dem ich lebe, bedeutet die biblische Macht der Gewaltlosigkeit eine Herausforderung, die neue, radikale Perspektiven eröffnet.

Sie zu wählen, bedeutet, einem grundlegenden christlichen Wert Priorität zu gewähren – der Würde des Menschen, der heiligen, transzendenten, unwiderruflichen Würde, die dem Menschen eigen ist als Kind Gottes, Bruder und Schwester in Christus und damit auch als unserem Bruder und unserer Schwester. ADOLFO PÉREZ ESQUIVEL (1980)

Krieg ist Mord. Und die derzeitigen Vorbereitungen für einen möglichen großen Konflikt haben den kollektiven Mord zum Ziel. Im Atomzeitalter ginge die Zahl der Opfer in die Millionen.

Dieser nackten Wahrheit müssen wir uns stellen. Das Zeitalter, in dem wir leben, kann nur als barbarisch bezeichnet werden. Unsere Zivilisation läuft Gefahr, nicht nur militarisiert zu werden, sondern auch zu verrohen.

Diese unsinnige Tendenz wird in der Hauptsache durch zwei Merkmale charakterisiert: *Konkurrenz* und *Gewalt*. Konkurrenz um die Macht, den stürmischen Fortschritt der Technologie auszubeuten; dies macht Kooperation unmöglich und führt zu einem Ansteigen der Gewalt mit immer ›intelligenteren‹ Waffen. Und gerade dadurch wird unser Zeitalter immer barbarischer und roher. Doch der Augenblick der Wahrheit ist nicht länger aufzuschieben.

Ich weiß, das sind starke Worte. Ich weiß auch, daß es gute Kräfte gibt, die versuchen, diese unglückliche Entwicklung aufzuhalten.

Darf ich an diesem Punkt ein persönliches Bekenntnis abgeben? Ich habe die globale

Entwicklung immer als Kampf zwischen Gut und Böse betrachtet. Nicht, um es einfach auszudrücken, als Kampf zwischen Jesus und dem Satan, weil mir diese Entwicklung nicht auf unsere Kultur beschränkt zu sein scheint. Eher als Kampf zwischen Ormuzd, dem Guten, und Ahriman, dem Bösen. Meine persönliche Lebensphilosophie ist die *Ethik*.

Mir scheint, daß die bösen Kräfte immer mehr Macht in ihren Händen halten. Dürfen wir wirklich glauben, daß die Führer der großen Nationen aufwachen werden, den Abgrund erkennen, auf den sie zusteuern, und die *Richtung ändern*?

ALVA REIMER MYRDAL (1982)

Wenn ich meinen eigenen Lebensweg betrachte, kann ich nur von Gewalt, Haß und Lügen sprechen. Eine Lektion habe ich jedoch daraus gelernt: daß wir der Gewalt nur dann wirksam begegnen können, wenn wir selbst nicht zu ihr greifen. LECH WALESA (1983)

Die Methode, die Friedenssicherung genannt wird, verwendet Soldaten als Diener des Friedens und nicht als Werkzeuge des Krieges. Sie führt in den militärischen Bereich das Prinzip der Gewaltlosigkeit ein.

Nie zuvor sind militärische Einheiten international mit der Absicht eingesetzt worden, *nicht* Krieg zu führen, *keine* Vorherrschaft zu etablieren und *nicht* den Interessen einer einzelnen Macht oder einem Mächtebündnis zu dienen, sondern Auseinandersetzungen zwischen Völkern zu verhindern.

JAVIER PÉREZ DE CUÉLLAR
für die UNO-Friedenstruppen (1988)

Vierzig Jahre lang hat unser Volk unter der Besatzung gelitten, dafür gibt es sichtbare Beweise. Wir haben einen langen Kampf gekämpft. Wir wissen, daß unsere Sache gerecht ist. Doch weil Gewalt immer nur noch mehr Gewalt auslöst, muß unser Kampf gewaltlos und frei von Haß sein. Wir versuchen, das Leid unseres Volkes zu beenden und nicht, anderen Leid zuzufügen.

DER DALAI LAMA (1989)

Menschenrechte

Die Vereinten Nationen stehen für die Freiheit und Gleichheit aller Völker, unabhängig von Rasse, Religion oder Weltanschauung. Jede Gesellschaft hat das Recht, ihre Ideologie, ihr Wirtschaftssystem und die Art der Beziehung zwischen Individuum und Staat selbst zu wählen. Die Vereinten Nationen unternehmen einen historischen Versuch, die Menschenrechte zu garantieren. Sie versuchen ebenfalls, den kolonisierten Völkern die Zusicherung zu geben, daß ihr Streben nach Freiheit – wenn auch nur Schritt für Schritt – auf friedlichem Wege verwirklicht werden kann.   RALPH J. BUNCHE (1950)

Wie auch die Zukunft unseres Freiheitsstrebens aussehen mag – unsere Sache ist die Befreiung von Menschen, denen Freiheit versagt wird. Nur auf dieser Basis kann der Frieden in Afrika und in der Welt auch Bestand haben. Unsere Sache ist die Gleichberechtigung von Nationen und Völkern. Nur so kann die Gemeinschaft der Menschen auf Dauer Wirklichkeit werden.

ALBERT JOHN LUTULI (1960)

Ich bin nicht der erste, der sich darum bemüht, der Freiheit in Südafrika mehr Raum zu verschaffen. Auch ich konnte, als Christ und Patriot, nicht zusehen, wie fast auf jedem Gebiet systematisch versucht wurde, den göttlichen Anteil im Menschen herabzusetzen oder eine Grenze zu ziehen, jenseits derer es einem Menschen schwarzer Hautfarbe nicht erlaubt war, seinem Schöpfer nach bestem Vermögen zu dienen. In einer Situation neutral zu bleiben, in der die Gesetzgebung eines Landes Gott im Grunde dafür kritisierte, daß er Farbige geschaffen hatte, war mir als Christ unmöglich.

ALBERT JOHN LUTULI (1960)

Ich halte es für ein Grundrecht jedes Einzelnen, daß er sich weigert, zu töten, zu foltern oder an den Vorbereitungen für die atomare Vernichtung der Menschheit teilzunehmen.

SEAN MCBRIDE (1974)

Ich möchte meine Rede beenden, indem ich die Hoffnung auf einen Sieg der Prinzipien des Friedens und der Menschenrechte ausdrücke. Das beste Zeichen dafür, daß eine solche Hoffnung begründet sein könnte, wäre eine allgemeine politische Anmestie auf der ganzen Welt, die Befreiung der politischen Gefangenen aller Länder. Der Kampf um eine allgemeine politische Amnestie ist der Kampf um die Zukunft der Menschheit.

Ich bin dem Nobelkomittee aufrichtig dankbar, daß es mir den Friedensnobelpreis für 1975 verliehen hat, und ich bitte Sie, daran zu denken, daß die Ehre, die mir auf diese Weise zuteil wurde, gleichzeitig allen politischen Gefangenen in der Sowjetunion und den anderen osteuropäischen Ländern zukommt, und ebenso allen anderen, die für ihre Befreiung kämpfen.

ANDREJ SACHAROW (1975)

Ich bin davon überzeugt, daß Vertrauen, gegenseitiges Verstehen, Abrüstung und internationale Sicherheit undenkbar sind ohne eine offene Gesellschaft, in der Informations- und Gewissensfreiheit, Meinungsfreiheit,

Bewegungsfreiheit und Freizügigkeit herrschen. Ich bin ebenfalls davon überzeugt, daß
die Gewissensfreiheit zusammen mit den anderen Bürgerrechten die Basis für den wissen-
schaftlichen Fortschritt darstellt und auch
garantiert, daß dieser wissenschaftliche Fortschritt nicht für die Plünderung der Menschheit mißbraucht wird, sondern die Grundlage
ökonomischen und gesellschaftlichen Fort-
schritts bildet, der wiederum auf politischer
Ebene die sozialen Rechte wirksam schützt.
Gleichzeitig möchte ich die These unter-
schreiben, daß Bürgerrechte und politische
Rechte für das Schicksal der Menschheit von
grundlegender und entscheidender Bedeutung sind.

Diese Ansicht widerspricht der weitver-
breiteten marxistischen, aber auch der von
Technokraten geteilten Meinung, nach der
materielle Faktoren sowie soziale und wirtschaftliche Bedingungen entscheidend sind.

ANDREJ SACHAROW (1975)

Den Preis einer Person zu verleihen, die politische Rechte und Bürgerrechte gegen ille-
gale, willkürliche Aktionen verteidigt, ist

gleichbedeutend mit einer Unterstützung der Prinzipien, die eine so wichtige Rolle für die Zukunft der Menschheit spielen. Für Hunderte von Menschen, bekannte und unbekannte, von denen viele einen hohen Preis für die Verteidigung dieser Prinzipien zahlen (der Preis heißt Verlust der Freiheit, Arbeitslosigkeit, Armut, Verfolgung, Exil), war Ihre Entscheidung eine große Freude und ein großes Geschenk. Ich bin mir all dessen bewußt, aber etwas anderes kommt noch hinzu: in der gegenwärtigen Situation ist es ein Akt intellektueller Kühnheit und großer Gelassenheit, den Preis einem Mann zu verleihen, dessen Ideen mit der offiziellen Doktrin der Führung eines großen, mächtigen Staates nicht übereinstimmen. In diesem Licht sehe ich die Entscheidung des Nobel-Komitees, ich sehe sie auch als einen Ausdruck von Toleranz und wahrem Entspannungswillen. Ich möchte hoffen, daß selbst jene, die gegenwärtig Ihre Entscheidung noch mit Skepsis betrachten, eines Tages meine Meinung teilen werden. ANDREJ SACHAROW (1975)

Überall auf der Welt müssen die Menschen beständig daran erinnert werden, daß die Verletzung der Menschenrechte – willkürliche Festnahme und Haft, ungerechte Freiheitsstrafen, Folter oder politischen Mord – den Weltfrieden bedrohen. Jede Verletzung kann, wo immer sie geschieht, die Tendenz zur Herabsetzung der Menschenwürde fördern. Von Individuen zu Gruppen, von Gruppen zu Nationen, von Nationen zu Nationenbündnissen verbreitet sich als Kettenreaktion ein Muster aus Gewalt und Unterdrückung, und eine Mißachtung menschlicher Werte.

Dies darf nicht erst beginnen. Und auf der Ebene des Einzelnen ist es noch möglich, einzugreifen. Deshalb ist es für den Weltfrieden wichtig, das Recht jedes Einzelnen auf Gedankenfreiheit, Meinungs- und Versammlungsfreiheit und auf Verbreitung seiner Gedanken zu schützen. MÜMTAZ SOYSAL
für Amnesty International (1977)

Wir hören häufig, daß die Verletzung von Menschenrechten im Namen höherer Interessen geschieht.

113

Ich erkläre, daß es keine höheren Interessen als die des Menschen gibt.

Ich bin davon überzeugt, daß die Menschen reif genug sind, sich ohne paternalistische Wächter selbst zu regieren.

Aus diesem Grunde hoffen wir. Weil wir bei unseren Menschen das Talent zu Gemeinschaft und Teilhabe entdecken, und weil ihr politisches Gewissen und ihr Bedürfnis nach Veränderung und gesellschaftlicher Demokratisierung täglich wachsen. Diese Veränderung soll auf Gerechtigkeit basieren, aus Liebe entstehen und uns die sehnlichst erwarteten Früchte des Friedens bringen.

Wir müssen uns alle dieser Aufgabe widmen. Und ich wünsche mir, daß meine Stimme in den großen Chor einstimmen kann, damit unser Schrei nach Gerechtigkeit ohrenbetäubend wird.

Ich lebe in dieser Hoffnung, die ich sicherlich mit vielen teile. Ich bin zuversichtlich, daß unsere Mühen eines Tages belohnt werden. ADOLFO PÉREZ ESQUIVEL (1980)

In vielen Teilen der Welt suchen die Menschen nach einer Möglichkeit, die beiden Grundwerte Frieden und Gerechtigkeit miteinander zu verbinden. Sie sind wie Brot und Salz für die Menschheit.   LECH WALESA (1983)

Sie kennen die Gründe, aus denen ich nicht in Ihre Hauptstadt kommen und die Auszeichnung persönlich in Empfang nehmen kann. An diesem feierlichen Tag ist mein Platz bei den Menschen, mit denen ich aufgewachsen bin und zu denen ich gehöre – bei den Arbeitern von Danzig.

Mit meinen Worten will ich Ihnen die Freude und die nie erloschene Hoffnung von Millionen meiner Brüder übermitteln – den Millionen von Arbeitern in Fabriken und Büros, vereint in der Gewerkschaft, deren Name allein schon eine der edelsten Bestrebungen der Menschheit zum Ausdruck bringt. Heute fühlen sie sich alle gemeinsam mit mir durch den Preis sehr geehrt …

Zum ersten Mal hat ein Pole einen Preis erhalten, den Albert Nobel für Handlungen gestiftet hat, die dazu beitragen, die Nationen der Welt einander näher zu bringen.

Die brennendsten Hoffnungen meiner Landsleute verbinden sich mit diesem Gedanken – trotz der Gewalt, Grausamkeit und Brutalität, die die Konflikte der heutigen gespaltenen Welt kennzeichnen.

Wir wünschen Frieden – und darum haben wir nie zu physischer Gewalt gegriffen. Wir sehnen uns nach Gerechtigkeit – und darum sind wir im Kampf um unsere Rechte so beharrlich. Wir streben nach Meinungsfreiheit – und darum haben wir nie versucht, das Gewissen des Menschen zu versklaven, und wir werden es auch nie versuchen.

Wir kämpfen für das Recht der arbeitenden Menschen, sich zusammenzuschließen, und für die Würde menschlicher Arbeit. Wir achten die Würde und die Rechte jedes Menschen und jedes Volkes. Eine lichtere Zukunft kann weltweit nur auf dem Weg der aufrichtigen Versöhnung widersprüchlicher Interessen, und nicht durch Haß und Blutvergießen, erreicht werden. Diesem Weg zu folgen, bedeutet, die moralische Kraft zu unterstützen, die die Idee einer globalen Solidarität mit sich bringt. Lech Walesa (1983)

Eines... muß hier bei diesem feierlichen Anlaß gesagt werden: Das polnische Volk ist weder bezwungen noch hat es den Weg der Gewalt und des Brudermordes gewählt.

Wir werden uns der Gewalt nicht beugen. Wir werden die Freiheiten der Gewerkschaft nicht aufgeben. Wir werden uns nie damit zufriedengeben, daß Menschen für ihre Überzeugungen ins Gefängnis geschickt werden. Die Tore der Gefängnisse müssen aufgerissen werden, und Menschen, die verurteilt wurden, weil sie die Gewerkschafts- und Bürgerrechte verteidigt haben, müssen befreit werden. Der angekündigte Prozeß gegen elf Mitglieder unserer Bewegung darf nie stattfinden. All jene, die bereits wegen ihrer Zugehörigkeit zur Gewerkschaft verurteilt sind oder auf ihren Prozeß warten, sollten nach Hause zurückkehren und in ihrem Land leben und arbeiten können.

Die Verteidigung unserer Rechte und unserer Würde, und dazu die Absicht, uns nie von Haßgefühlen überwältigen zu lassen – das ist der Weg, den wir gewählt haben.

LECH WALESA (1983)

Wann werden wir lernen, daß die Menschen
unendlich wertvoll sind, weil sie nach dem
Ebenbild Gottes geschaffen wurden, und daß
es eine Gotteslästerung ist, wenn man sie behandelt, als seien sie weniger als das, und daß
diese Art von Mißachtung letztlich auf die
zurückfällt, die sie empfinden? Indem sie
andere entmenschlichen, werden sie selbst
entmenschlicht. Vielleicht gilt das für den
Unterdrücker noch mehr als für den Unter-
drückten. Sie brauchen einander, um ganze
Menschen zu werden. Wir können nur in Gemeinschaft wahre Menschen werden, in gegenseitiger Verbundenheit, in *koinonia*, in
Frieden.   DESMOND MPILO TUTU (1984)

Ich nehme die Ehre, die Sie mir erweisen, mit
einem tiefen Gefühl der Demut entgegen. Ich
bin mir bewußt, daß Ihre Wahl über meine
Person hinausreicht. Dies erschreckt mich in
gleichem Maße, wie es mir Freude bereitet.

Es erschreckt mich, weil ich mich frage:
Habe ich das Recht, die große Menschen-
menge, die man umgebracht hat, zu vertreten? Habe ich das Recht, diese große Ehre in
ihrem Namen zu empfangen?... Ich habe es

nicht, das wäre anmaßend. Niemand darf für die Toten sprechen, niemand darf ihre zerrissenen Träume und Visionen interpretieren.

Es bereitet mir Freude, weil ich sagen darf, daß diese Ehre all den Überlebenden und ihren Kindern zukommt, und durch uns auch dem jüdischen Volk, mit dessen Schicksal ich mich immer identifiziert habe.

ELIE WIESEL (1986)

Ich drücke Ihnen meine tiefste Dankbarkeit aus. Niemand kann mehr Dankbarkeit empfinden als einer, der dem Reich der Nacht entronnen ist. Wir wissen, daß jeder Moment ein Moment der Gnade ist, jede Stunde ein Geschenk. Sie nicht zu würdigen, hieße, sie zu verachten. Unser Leben gehört nicht länger uns allein, es gehört all jenen, die uns verzweifelt brauchen...

Ich danke dem norwegischen Volk, bei diesem außergewöhnlichen Ereignis deutlich gemacht zu haben, daß unser Überleben für die Menschheit von Bedeutung ist.

ELIE WIESEL (1986)

Ich schwor mir, nie zu schweigen, wann und
wo immer Menschen Leid und Demütigung
ertragen müssen. Wir müssen immer Stel-
lung beziehen. Neutralität hilft dem Unterdrücker, nie den Opfern. Schweigen ermutigt
den Peiniger, nie die Gepeinigten. Manchmal
müssen wir direkt eingreifen. Wenn menschliches Leben bedroht ist, die Menschenwürde
in Gefahr ist, werden nationale Grenzen und
Empfindlichkeiten irrelevant. Wo immer
Männer und Frauen wegen ihrer Rasse, Religion oder politischen Einstellung verfolgt
werden, muß dieser Ort – im selben Augenblick – zum Mittelpunkt des Universums
werden. ELIE WIESEL (1986)

Es gibt noch viel zu tun, es gibt viel, was ge-
tan werden kann. Schon eine Person – ein
Raoul Wallenberg, ein Albert Schweitzer,
eine integre Person – kann etwas ausrichten,
vielleicht den Unterschied zwischen Leben
und Tod bewirken. Solange auch nur ein Dissident im Gefängnis sitzt, wird unsere Freiheit nicht vollkommen sein. Solange auch
nur ein Kind hungert, werden Schamgefühle
und Gewissensbisse uns begleiten. Was all

diese Opfer am dringensten benötigen, ist die Gewißheit, daß wir ihnen unsere Stimme leihen, wenn ihre erstickt, daß die Qualität unserer Freiheit ebenso von ihrer Freiheit abhängt wie ihre Freiheit von unserer.

ELIE WIESEL (1986)

Hiob, unser Vorfahre. Hiob, unser Zeitgenosse. Seine Qual betrifft die ganze Menschheit. Hat er je den Glauben verloren? Wenn das der Fall war, so hat er ihn in seiner Auflehnung wiedergefunden. Er hat gezeigt, daß Glauben ein wesentlicher Bestandteil der Auflehnung ist, und daß es auch jenseits der Verzweiflung noch Hoffnung gibt. Die Quelle seiner Hoffnung war die Erinnerung, und das gilt auch für uns. Weil ich mich erinnere, verzweifle ich. Weil ich mich erinnere, ist es meine Pflicht, die Verzweiflung von mir zu weisen.

Ich erinnere mich an die Mörder, ich erinnere mich an die Opfer, während ich mich bemühe, tausend Gründe für Hoffnung zu finden.

Es mag Zeiten geben, in denen es nicht in unserer Macht steht, Ungerechtigkeiten zu verhindern, aber es darf nie eine Zeit geben, in der wir nicht Widerstand leisten. Der Talmud sagt uns, daß durch die Rettung eines einzigen Menschen die Welt gerettet werden kann. Wir sind vielleicht nicht mächtig genug, alle Gefängnisse zu öffnen und alle Gefangenen zu befreien, aber wenn wir uns mit einem Gefangenen solidarisch erklären, klagen wir alle Gefängnisaufseher an. Keiner von uns ist in der Lage, den Krieg abzuschaffen, aber es ist unsere Pflicht, ihn anzuprangern und in seiner ganzen Widerwärtigkeit bloßzustellen… Die Menschheit braucht Frieden mehr denn je, denn unser ganzer Planet wird von einem Atomkrieg bedroht und ist in Gefahr, völlig zerstört zu werden. Eine solche Zerstörung können nur Menschen provozieren, und nur Menschen können sie verhindern.

Die Menschheit muß sich daran erinnern, daß der Frieden nicht ein Geschenk Gottes an seine Geschöpfe ist, sondern ein Geschenk der Menschen füreinander. Elie Wiesel (1986)

Als Sie sich dazu entschlossen haben, mich
mit diesem Preis zu ehren, haben Sie sich entschlossen, ein Land des Friedens zu ehren,
Costa Rica zu ehren. Als Sie sich heute, im
Jahre 1987 entschlossen, dem Willen Alfred
Nobels entsprechend Bemühungen um den
Frieden in der Welt zu ermutigten, entschlossen Sie sich, Friedensbemühungen in Mittelamerika zu ermutigen. Ich bin Ihnen sehr
dankbar für die Anerkennung unserer Suche
nach Frieden...

Daß ich den Nobelpreis am 10. Dezember
entgegennehmen kann, ist für mich ein wun-
derbarer Zufall. Mein Sohn – hier anwesend –
wird heute acht Jahre alt. Ich sage zu ihm, und
damit zu allen Kindern meines Landes, daß
wir niemals Gewalt anwenden werden, daß
wir niemals militärische Lösungen für die
Probleme Mittelamerikas akzeptieren werden. Der jungen Generation zuliebe müssen
wir klarer denn je erkennen, daß dies nur
durch andere Mittel erreicht werden kann:
Dialog und Verständigung, Toleranz und Ver-
gebung, Freiheit und Demokratie.

Ich weiß, daß Sie sich dem anschließen
werden, was ich allen Mitgliedern der internationalen Gemeinschaft sagen möchte, und

vor allen jenen in Osten und Westen, die wesentlich mehr Macht und Mittel haben als mein kleines Land je besitzen wird. Ich bitte sie mit äußerster Dringlichkeit: Laßt die Mittelamerikaner über die Zukunft Mittelamerikas entscheiden; überlaßt die Deutung und die Verwirklichung unseres Friedensplanes uns selbst. Unterstützt statt der militärischen Kräfte lieber die Friedensbemühungen in unserer Region. Schickt unserem Volk Pflugscharen statt Schwerter, Spaten statt Dolche.

Wenn sie zu eigenen Zwecken nicht auf die Anhäufung von Kriegswaffen verzichten wollen, sollen sie in Gottes Namen wenigstens uns in Frieden lassen.

OSCAR ARIAS SÁNCHEZ (1987)

Costa Ricas Schutzwall, die Kraft, die bewirkt, daß Gewalt dem Land nichts anhaben kann, die es stärker als tausend Armeen macht, ist die Kraft der Freiheit, seiner Prinzipien, und der großen Ideale unserer Zivilisation.

OSCAR ARIAS SÁNCHEZ (1987)

Als freier Mensch fühle ich mich verpflich-
tet, meinen gefangenen Landsleuten – Männern und Frauen – meine Stimme zu leihen.
Mich treiben nicht Haß und Wut auf diejenigen, die für das ungeheure Leid meines Volkes
und die Zerstörung unserer Landes, unserer
Häuser und unserer Kultur verantwortlich
sind. Auch sie sind Menschen, die nach
Glück streben und unser Mitgefühl verdienen. Ich spreche, um Sie über die traurige
Lage unseres Landes zu informieren und die
Wünsche meines Volkes zu Gehör zu bringen, denn in unserem Kampf für Freiheit ist
die Wahrheit die einzige Waffe, die wir besitzen.   DER DALAI LAMA (1989)

Die Aussicht auf eine wirklich friedliche
Weltpolitik liegt in der gemeinsamen Schaffung eines einheitlichen, internationalen, demokratischen Raumes, in dem Staaten sich
vom Vorrang der Menschenrechte und der
Wohlfahrt ihrer eigenen Bürger und der Förderung dieser Rechte und der gleichen Wohlfahrt überall sonst leiten lassen.

MICHAIL S. GORBATSCHOW (1990)

Politik und Staatsführung

Die grausame Wahrheit ist jedoch, daß wir uns für den Krieg vorbereiten wie frühreife Riesen und für den Frieden wie zurückgebliebene Zwerge.　　LESTER B. PEARSON (1957)

Nansen hat als erster gesagt – und andere haben es später wiederholt –, daß ›das Schwierige das ist, was eine Weile dauert, das Unmögliche das, was noch etwas länger dauert‹. Wenn Politik die Kunst des Möglichen ist, dann ist die Staatskunst laut Nansen die Kunst des Unmöglichen, und Staatskunst ist es, die unsere verwirrte und gequälte Menschheit heutzutage braucht.

PHILIP NOEL-BAKER (1959)

Mir ist nicht nach dem lauten Appell zumute. Es ist leicht, von anderen Maß, Vernunft, Bescheidung zu fordern. Aber diese Bitte kommt mir aus dem Herzen: Alle, die

Macht haben, Krieg zu führen, möchten der
Vernunft mächtig sein und Frieden halten.

WILLY BRANDT (1971)

Ich schenke den Zweiflern und Besserwis-
sern keine Beachtung, die nicht glauben wollen, daß auch die Menschen aufrichtig Frieden wünschen, die unter einem anderen ideo-
logischen Banner marschieren oder die, die
Kriegsgeräte besser kennen als Friedenskonferenzen.

Wir in Mittelamerika wollen nicht nur
Frieden, nicht nur einen Frieden, dem eines
Tages einmal ein politischer Fortschritt folgen wird. Wir wollen Frieden und Demokratie gleichzeitig, unteilbar, und ein Ende des
Blutvergießens, das untrennbar verbunden
ist mit dem Ende der Unterdrückung der
Menschenrechte. Wir erlauben uns kein Urteil – und vor allem kein negatives – über das
politische oder ideologische System eines anderen Volkes, wenn es frei gewählt ist und
nicht exportiert wird. Wir können nicht ver-
langen, daß sich souveräne Staaten einer Re-
gierungsform anpassen, die sie sich nicht aus-
gesucht haben. Aber wir können und müssen

darauf bestehen, daß jede Regierung die universellen Menschenrechte achtet, die über nationale Grenzen und ideologische Etiketts hinaus gelten. Wir glauben, daß Gerechtigkeit und Frieden nur gemeinsam gedeihen, niemals getrennt voneinander. Eine Nation, die ihre eigenen Bürger schlecht behandelt, behandelt aller Wahrscheinlichkeit nach auch ihre Nachbarn schlecht.

OSCAR ARIAS SÁNCHEZ (1987)

Ich komme aus einer Welt mit riesigen Problemen, die wir in Freiheit bewältigen werden. Ich komme aus einer Welt, die in Eile ist, denn Hunger kann nicht warten. Wenn die Hoffnung verloren ist, ist es nicht mehr weit bis zur Gewalt. Ich komme aus einer Welt, die nicht darauf warten kann, daß der Guerillero und der Soldat zu schießen aufhören: Junge Menschen sterben, Brüder sterben, und morgen weiß niemand mehr, warum. Ich komme aus einer Welt, die es nicht erwarten kann, daß sich die Gefängnistore öffnen, und zwar nicht, damit wie bisher freie Menschen hineingehen, sondern damit Gefangene herauskommen.

Freiheit und Demokratie haben in Amerika keine Zeit zu verlieren, und wir brauchen das Verständnis der ganzen Welt, um uns von den Diktatoren und vom Elend zu befreien.

Ich komme aus Mittelamerika.

Ich nehme diesen Preis als einer von 27 Millionen Mittelamerikanern entgegen. Hinter den jungen Demokratien Mittelamerikas liegt über ein Jahrhundert gnadenloser Diktatur, allgemeiner Ungerechtigkeit und Armut. Mein kleines Amerika hat die Wahl, entweder noch ein Jahrhundert der Gewalt zu ertragen oder Frieden zu erlangen, indem es die Furcht vor Freiheit überwindet. Nur der Frieden kann die Geschichte neu schreiben.

OSCAR ARIAS SÁNCHEZ (1987)

Die Geschichte kann sich nur in Richtung Freiheit bewegen. Das Wesen der Geschichte kann nur Gerechtigkeit sein. In eine Richtung zu marschieren, die der Geschichte entgegengesetzt ist, heißt, den Weg der Schuld, Armut und Unterdrückung zu betreten. Ohne Freiheit gibt es keine Revolution. Jede Unterdrückung läuft dem Geist des Menschen zuwider. OSCAR ARIAS SÁNCHEZ (1987)

Der Kalte Krieg ist vorbei. Das Risiko eines globalen, nuklearen Krieges ist nahezu verschwunden. Der Eiserne Vorhang ist verschwunden. Deutschland ist vereint...

Wenn wir ein neues Europa schaffen, in dem erstmals Eiserne Vorhänge und Mauern für immer der Vergangenheit angehören werden und Grenzen zwischen Staaten ihren trennenden Charakter verlieren werden, wird die Selbstbestimmung souveräner Nationen auf völlig neue Art möglich werden.

MICHAIL S. GORBATSCHOW (1990)

Biographische Anmerkungen

Die folgenden biographischen Einträge enthalten nur Angaben zu den Preisträgern, deren Ansprachen und Vorträge auszugsweise in diesen Band aufgenommen wurden. Die kursiv gedruckte Jahreszahl in jedem Eintrag bezeichnet das Jahr, für das der Preis zuerkannt wurde; in manchen Fällen verschob das Nobel-Komittee seine Entscheidung und verlieh den Preis erst ein Jahr später.

AMERIKANISCHE GESELLSCHAFT DER FREUNDE (USA) und Rat der Freunde (Großbritannien). *1947.* Vertreten durch Henry J. Cadbury bzw. Margaret Backhouse. Quäker-Organisationen, denen der Friedensnobelpreis für ihre Hilfsdienste und ihre Aufbauarbeit während des 2. Weltkriegs und den Jahren danach verliehen wurde (s. S. 36, 61, 96, 97, 99).

AMNESTY INTERNATIONAL (gegründet 1961). *1977.* Internationale Organisation, die sich für die Rechte politischer Gefangener einsetzt; sie wurde bei der Zeremonie der Preisverleihung von ihrem Vorsitzenden Thomas Hammarberg aus Schweden vertreten, der die Dankansprache hielt, sowie von ihrem stellvertretenden Vorsitzenden Mümtaz Soysal, Türkei, der den Vortrag hielt (s. S. 48, 113).

ANGELL, NORMAN (1872–1967). *1933*. Britischer Schriftsteller, Autor des bekannten Romans »The Great Illusion«, der sich als einflußreicher Publizist und Redner viele Jahre lang für den Frieden engagierte (s. S. 16, 17, 81).

ARIAS SÁNCHEZ, OSCAR (1941). *1987*. Präsident von Costa Rica, einem demokratischen Land ohne Armee; ihm gelang es, unterstützt von vier anderen Präsidenten Mittelamerikas, einen Friedensplan für diese Region zu konzipieren. Das Nobel-Komitee hoffte, mit seiner Entscheidung diese Bemühungen zu unterstützen (s. S. 28, 76, 77, 94, 95, 124, 128, 129)

ARNOLDSON, KLAS PONTUS (1844–1916). *1908*. Schwedens führender Friedensaktivist und Anhänger eines liberales Christentums, Politiker, Organisator und einflußreicher Redner und Publizist (s. S. 32)

BACKHOUSE, MARGARET, s. Amerikanische Gesellschaft der Freunde.

BALCH, EMILY GREENE (1867–1961). *1946*. Wissenschaftlerin und intellektuelle Führerin der amerikanischen Friedensbewegung. Zusammen mit Jane Addams (1931) gründete sie die Internationale Frauenliga für Frieden und Freiheit, für die sie jahrelang in Genf und in den Vereinigten Staaten tätig war (s. S. 18, 60).

BEGIN, MENACHEM (*1913) und Mohammed Anwar El-Sadat (1918–81). *1978*. Premierminister Israels bzw. Präsident der Arabischen Republik Ägypten, die den Preis für den Friedensvertrag von Camp David erhielten, wohin sie Präsident Jimmy Carter eingeladen hatte, um den 30 Jahre währenden Kriegszustand zwischen den beiden Ländern zu beenden. Sadats Friedenspolitik wurde von vielen Ägyptern und anderen arabischen Staaten kritisiert; er wurde von Fundamentalisten drei Jahre später ermordet (s. S. 25, 27).

BORLAUG, NORMAN (* 1914). *1970.* Amerikanischer Agrarwissenschaftler, dessen Verdienste um die Steigerung der Erträge von Weizen, Mais und Reis ihm den Titel ›Vater der Grünen Revolution‹ eintrugen. In den Worten des Nobel-Komittees: »Mehr als jeder andere aus seiner Generation hat er geholfen, einer hungernden Welt Brot zu beschaffen. Wir haben unsere Wahl in der Hoffnung getroffen, daß die Versorgung mit Brot der Welt auch mehr Frieden bringen wird.« (s. S. 21).

BOURGOIS, LÉON (1851–1925). *1920.* Französischer Politiker, der durch seine Schriften und sein politisches Handeln mithalf, den Völkerbund zu konstituieren. Er war Vorsitzender der französischen Delegation bei beiden Haager Friedenskonferenzen und wirkte bei der Niederschrift des Völkerbundpaktes auf der Pariser Friedenskonferenz mit (s. S. 55).

BOYD-ORR OF BRECHIN, LORD (1880–1971). *1949.* John Boyd-Orr war schottischer Arzt und Ernährungswissenschaftler, Gründer und Generaldirektor des Ernährungs- und Landwirtschaftsamtes der Vereinten Nationen und später ein international bekannter Friedensaktivist (s. S. 19, 62).

BRANDT, WILLY (* 1913). *1971.* Der zweite deutsche Staatsmann, der für seine Politik des Friedens und der Aussöhnung mit früheren Feindstaaten geehrt wurde. Als Außenminister und Kanzler der Bundesrepublik Deutschland festigte er die Bindung an die westeuropäischen Nachbarländer und verhandelte mit Polen und der Sowjetunion über Friedensabkommen. Nach seinem Rücktritt setzte er sich als Vorsitzender der Sozialdemokratischen Internationale weiterhin für den Frieden ein (s. S. 21, 22, 127).

BUNCHE, RALPH J. (1904–71). *1950.* Amerikanischer Sozialwissenschaftler, der in führenden Positionen zunächst im Außenministerium, dann bei den Vereinten Nationen tätig war. Als UNO-Vermittler war er 1949 an den Verhandlungen über die Beendigung der jüdisch-arabischen Streitigkeiten um Palästina beteiligt (s. S. 20, 82, 84, 108).

CADBURY, HENRY J., s. Amerikanische Gesellschaft der Freunde.

CHAPUISAT, EDOUARD,. s. Internationales Komittee vom Roten Kreuz.

DALAI LAMA, DER XIV. VON TIBET, TENZIN GYATSO (* 1935). *1989.* Geistiger und weltlicher Führer Tibets seit 1940, im indischen Exil seit 1959, dem Jahr der Besetzung Tibets durch die Chinesen, die das Land als Teil Chinas betrachten. Seither setzte er sich unermüdlich vom Ausland aus für die Befreiung seines Volkes ein. Er erhielt den Preis für seine Unterstützung der Menschenrechte mit gewaltlosen Mitteln, für seine buddhistische Botschaft von Liebe und Mitgefühl, und für seine Bemühungen um den Erhalt der Umwelt (s. S. 30, 52, 77, 78, 107, 125).

GORBATSCHOW, MICHAIL S. (*1931). *1990*. Sowjetischer Politiker, seit 1985 Generalsekretär der KPdSU, seit 1990 Staatspräsident. Verkündete zu Beginn seiner Amtszeit sein Programm der ›Perestrojka‹, des ›Umbaus‹ des sowjetischen Staats- und Wirtschaftssystems, und der ›Glasnost‹, der ›Offenheit‹. Hat mit seinem Vorschlag eines Separatabkommens zum Abbau der Mittelstreckenraketen entscheidend zur 1987 zwischen der Sowjetunion und den USA unterzeichneten «Nullösung» (Beseitigung aller Mittelstreckenraketen dieser beiden Staaten) beigetragen (s. S. 31, 125, 130).

HARTLING, POUL, s. UNO-Hochkommissariat für das Flüchtlingswesen.

HENDERSON, ARTHUR (1863–1935). *1934*. Britischer Außenminister, bekannt für seine Friedenspolitik und seine tatkräftige Unterstützung des Völkerrates. Als Präsident der Weltabrüstungskonferenz (1932 bis 1935) setzte er sich beharrlich, jedoch ohne Erfolg für deren Gelingen ein (s. S. 36).

INTERNATIONALE ÄRZTEVEREINIGUNG FÜR DIE VERHINDERUNG EINES ATOMKRIEGS (gegründet 1980). *1985*. Dr. Jewgenij Tschasow aus der Sowjetunion und Dr. Bernard Lown aus den Vereinigten Staaten wurden vom Nobel-Komittee eingeladen, den Preis als Vorsitzende des IPPNW entgegenzunehmen, deren Mitglieder aus vierzig Staaten stammen. Das Nobel-Komitee war beeindruckt von der Botschaft der Vereinigung, daß bei einem Atomkrieg keine angemessene ärztliche Versorgung möglich wäre und würdigte die enge Zusammenarbeit sowjetischer und amerikanischer Ärzte (s. S. 75, 90, 91, 92).

INTERNATIONALES KOMITTEE VOM ROTEN KREUZ. *1944.* Bei der Verleihungszeremonie im Dezember 1945 nahm Max Huber, der Ehrenvorsitzende des IKRK den Preis entgegen, den zweiten von drei Preisen, den diese Schweizer Organisation erhielt. Edouard Chapuisat, ein Mitglied des IKRK, hielt den Vortrag. S. Liga der Rot-Kreuz-Gesellschaften (s. S. 58).

KING, MARTIN LUTHER, JR. (1929–68). *1964.* Führer der gewaltlosen Bürgerrechtsbewegung in den Vereinigten Staaten. Baptistenpfarrer mit zusätzlicher akademischer Ausbildung, dessen Predigten und Ansprachen zum Besten der amerikanischen Redekunst gezählt werden. Der Vorsitzende des norwegischen Nobel-Komittees erklärte: »Er ist der erste Mensch in der westlichen Welt, der uns gezeigt hat, daß man einen Kampf ohne Gewalt führen kann. Er ist der erste, der die Botschaft von der brüderlichen Liebe in seinem Kampf verwirklicht hat und er hat diese Botschaft allen Menschen, Völkern und Rassen gebracht.« (s. S. 21, 45, 64, 65, 101).

LANGE, CHRISTIAN L. (1869–1938). *1921*. Führender norwegischer Internationalist, bekannt als Wissenschaftler, langjähriger Generalsekretär der Interparlamentarischen Union und Mitglied der norwegischen Delegation beim Völkerbund (s. S. 56, 57).

LIGA DER ROT-KREUZ-GESELLSCHAFTEN. *1963*. Hundert Jahre nach der Gründung des Roten Kreuzes teilte sich die Liga den Preis mit dem Internationalen Komitee vom Roten Kreuz. John A. MacAulay, ein kanadischer Jurist, der den Vorsitz beim Verwaltungsrat der Liga in Genf führte, hielt den Vortrag (s. S. 43, 44).

LOWN, DR. BERNARD, s. Internationale Ärztevereinigung für die Verhinderung eines Atomkriegs.

LUTULI, ALBERT JOHN (1898–1967). *1960*. Zulu-Häuptling aus Südafrika, Präsident des Afrikan. Nationalkongresses und Führer des gewaltlosen Kampfes gegen die Apartheidspolitik (s. S. 109, 109).

MACAULAY, JOHN A., s. Liga der Rot-Kreuz-Gesellschaften.

MACBRIDE, SEAN (1904–88). *1974*. Irischer Revolutionär und leidenschaftlicher Nationalist, der zum Verfechter des Internationalismus wurde und den Friedenspreis für seine Verdienste um die Menschenrechte erhielt. Als irischer Außenminister trat er beim Europarat für die Europäische Menschenrechtskonvention ein. Er half bei der Gründung von Amnesty International, verteidigte die Menschenrechte als Jurist bei der Internationalen Juristenkommission und hatte führende Positionen in verschiedenen internationalen Friedensorganisationen inne (s. S. 66, 109).

MARSHALL, GEORGE C. (1880–1959). *1953*. General Marshall diente den Vereinigten Staaten viele Jahre lang als Armeeoffizier, und schließlich als Stabschef im 2. Weltkrieg, wo er einen entscheidenden Beitrag zum Sieg leistete. Später war er Außen- und Verteidigungsminister der USA. Als Außenminister unterstützte er mit seiner Wirtschaftshilfe, dem sogenannten ›Marshall-Plan‹, den Wiederaufbau des zerstörten Europas nach dem Krieg. Dafür wurde ihm der Friedenspreis zuerkannt (s. S. 86).

MONETA, ERNESTO TEODORO (1830–1918). *1907*. Journalist und Redakteur, Führer der italienischen Friedensbewegung (s. S. 54, 80).

MYRDAL, ALVA REIMER (1902–86). *1982*. Schwedische Sozialreformerin, Ministerin und Diplomatin; sie teilte den Preis mit Alfonso García Robles, dem früheren mexikanischen Außenminister, mit dem sie sich gemeinsam um die Abrüstung bemühte. Beide spielten bei den Abrüstungsdebatten der Vereinten Nationen eine führende Rolle, Myrdal als Unterhändlerin Schwedens und Autorin heftig diskutierter Werke zum Thema. Sie war zwölf Jahre lang Abgeordnete im Oberhaus des schwedischen Parlaments und galt als ›Große Alte Dame der Schwedischen Politik‹.

Sie war mit dem Wirtschaftswissenschaftler und Nobelpreisträger Gunnar Myrdal verheiratet (s. S. 89, 106).

NANSEN, FRIDTJOF (1861–1930). *1922.* Norwegischer Polarforscher und Diplomat, der die Flüchtlingsprogramme des Völkerbundes und andere Hilfprogramme nach dem 1. Weltkrieg leitete (s. S. 33, 81).

NOEL-BAKER, PHILIP (1889–1982). *1959.* Britischer Politiker und Minister aus der Quäker-Gemeinde, der an der Gründung des Völkerbundes und der Vereinten Nationen beteiligt war und Zeit seines Lebens für die Abrüstung eintrat (s. S. 20, 126).

PAULING, LINUS (*1901). *1962.* Einziger Träger zweier ungeteilter Nobelpreise, des Preises für Chemie und des Friedensnobelpreises. Er erhielt den Friedenspreis für seine Initiative, mit der er Wissenschaftler gegen Atomversuche in der Atmosphäre mobilisierte, was zum vorläufigen Atomteststop-Abkommen von 1963 führte; 1963 erhielt Pauling auch den für 1962 vergebenen Preis (s. S. 63, 88).

PEARSON, LESTER B. (1897–1972). *1957.* Kanadischer Diplomat und Außenminister, verantwortlich für die Einrichtung der UNO-Hilfstruppen in der Suez-Krise von 1956 (s. S. 41, 87, 126).

PÉREZ DE CUÉLLAR, JAVIER, s. UNO-Friedenstruppen.

PÉREZ ESQUIVEL, ADOLFO (*1931). *1980.* Einer der Führer der gewaltlosen Menschenrechtsbewegung in

Lateinamerika, der seine Stelle als Kunstlehrer in Argentinien aufgab, um Generalsekretär der Organisation ›Servicio Paz y Justicio‹ zu werden. Obwohl er als überzeugter Katholik gegen Gewaltakte der Linken wie der Rechten eintrat, behandelte ihn die Militärregierung Argentiniens als Staatsfeind und ahndete seine Aktivitäten mit Gefangenschaft und Folter (s. S. 71, 104, 114).

PIRE, PATER DOMINIQUE (1910–69). *1958*. Belgischer Dominikanermönch, der den Preis »für seinen Einsatz für die Flüchtlinge erhielt, die mit seiner Hilfe die Lager verlassen und in ein freies Leben zurückkehren konnten.« Unter anderem entstanden Ansammlungen kleiner Häuser (›Europa-Dörfer‹) in der Nähe von Städten, was dazu beitrug, die Flüchtlinge in die Gesellschaft zu integrieren. Pire kümmerte sich insbesondere um den ›harten Kern‹, alte und kranke Flüchtlinge, die von anderen Flüchtlingsagenturen oft vernachlässigt wurden (s. S. 41, 42, 62).

RAT DER FREUNDE (Großbritannien), s. Amerikanische Gesellschaft der Freunde.

SADAT, MOHAMMED ANWAR EL-, s. Begin, Menachem.

SACHAROW, ANDREJ (1921–89). *1975*. »Einer der großen Verfechter der Menschenrechte in unserer Zeit« (Nobel-Komitee). In jüngeren Jahren ein in der Sowjetunion für die Entwicklung der Wasserstoffbombe gefeierter Physiker, der sich zum Regierungskritiker entwickelte und mutig für die Liberalisierung der sowjetischen Gesellschaft eintrat. Als prominenter Dissident wurde Sacharow verfolgt und erhielt keine Erlaubnis, zur Preisverleihung nach Oslo zu reisen. Seine Frau Jelena Bonner hielt sich jedoch bereits zu einer medizinischen Behandlung im Ausland auf und verlas in Oslo Dankansprache und Vortrag ihres Mannes (s. S. 66, 110, 111, 112).

SATO, EISAKU (1901–75). *1974.* Langjähriger Ministerpräsident Japans; er erhielt den Preis nach seinem Ausscheiden aus dem Amt für seine friedliche Aussenpolitik in Asien und für Japans Beitritt zum Abkommen über die Verbreitung von Atomwaffen (s. S. 22).

SCHWEITZER, ALBERT (1875–1965). *1952.* Vielseitiges Genie aus dem Elsaß, der auf eine hervorragende Karriere als Philosoph, Theologe oder Musiker (Promotion in allen drei Fächern) verzichtete, und statt dessen nach einer medizinischen Ausbildung den Rest seines Lebens im afrikanischen Dschungel verbrachte, um seine humanitären Überzeugungen in die Praxis umzusetzen (s. S. 37, 38, 86).

SÖDERBLOM, NATHAN (1866–1931). *1930.* Als Erzbischof von Uppsala und oberster Kirchenherr Schwedens übernahm er die Führung der ökumenischen Bewegung in ihrem Einsatz für den Frieden (s. S. 58).

SOYSAL, MÜMTAZ, s. Amnesty International.

STRESEMANN, GUSTAV (1878–1929). *1926.* Deutscher Staatsmann, der zusammen mit dem Franzosen Aristide Briand und dem Briten Austen Chamberlain die Aussöhnung zwischen den einstigen Gegnern des 1. Weltkrieges zustande brachte (s. S. 35).

SUTTNER, BERTHA VON (1843–1914). *1905.* Österreichische Baronin, die den berühmten Anti-Kriegs-Roman »Die Waffen nieder!« schrieb und eine führende Rolle in der Friedensbewegung einnahm. Sie veranlaßte ihren Freund Alfred Nobel zur Stiftung des Friedensnobelpreises (s. S. 14, 15).

TERESA, MUTTER (* 1910). *1979.* Bekannt als ›Heilige von Kalkutta‹ durch ihre barmherzigen Werke für die Ärmsten in den Slums. Sie stammt aus einer albanischen Familie im heutigen jugoslawischen Mazedonien und trat einem katholischen Lehrorden bei, um in einer Missionsschule in Kalkutta zu unterrichten. Überwältigt vom Elend und der Armut, die sie dort vorfand, verließ sie jedoch das Kloster, um den Armen zu helfen, indem sie unter ihnen lebte. Andere kamen dazu und unterstützten sie bei ihrer Arbeit mit den Hungernden, Kranken und Sterbenden, und sie gründete einen neuen Orden, die ›Missionarinnen der Nächstenliebe‹, deren Betätigungsfeld inzwischen weit über Indien hinausgeht (s. S. 68, 70).

TSCHASOW, DR. JEWGENIJ, s. Internationale Ärztevereinigung zur Verhinderung eines Atomkriegs.

Tutu, Desmond Mpilo (*1931). *1984.* Anglikanischer Kirchenführer, Erzbischof von Cape Town; Oberhaupt der Anglikanischen Kirche Südafrikas, dem der Preis für seinen gewaltlosen Kampf gegen die Apartheid verliehen wurde (s. S. 49, 50, 51, 72, 73, 118).

UNO-Friedenstruppen. *1988.* Für die ›Blue Berets‹ nahm ihr Befehlshaber, Javier Pérez de Cuellar, Generalsekretär der Vereinten Nationen, den Preis entgegen. Für den Vorsitzenden des Nobel-Komittees waren die Friedenstruppen, die ihren Dienst als Puffer zwischen feindlichen Armeen oder zur Überwachung von Waffenstillstands-Abkommen versahen und deren Kontingente aus vielen Ländern stammen, »ein greifbarer Ausdruck des Willens der Weltgemeinschaft, Konflikte mit friedlichen Mitteln zu lösen« (s. S. 30, 107).

UNO-Hochkommissariat für das Flüchtlingswesen (eingerichtet 1951). *1954.* Bei der Verleihungszeremonie vertrat der Hohe Komissar, Dr. G. Jan van Heuven Goedhart aus den Niederlanden seine Organisation, deren Arbeit für die Entwurzelten und Heimatlosen die Brüderlichkeit unter den Menschen zum Ausdruck brachte (s. S. 40).

UNO-Hochkommissariat für das Flüchtlingswesen (eingerichtet 1951). *1981.* Den zweiten Friedenspreis für diese Organisation nahm deren Hoher Kommissar Poul Harting entgegen, der auch den Vortrag hielt (s. S. 27, 49).

VAN HEUVEN GOEDHART, DR. G. JAN, s. UNO-Hochkommissariat für das Flüchtlingswesen.

WALESA, LECH (* 1943). *1983.* Polnischer Arbeiter, der zum Führer der freien Gewerkschaft ›Solidarität‹ wurde. Der Kampf um die Rechte der Arbeiter und für eine freiere Gesellschaft traf auf den Widerstand der Regierung, und Walesa und andere Gewerkschaftsführer wurden verhaftet. Seit 1990 Staatspräsident von Polen (s. S. 106, 115, 116, 117).

WIESEL, ELIE (* 1928). *1986.* Jüdischer Überlebender des Holocaust, geboren in Rumänien, jetzt amerikanischer Bürger. Das Nobel-Komitee ehrte ihn als brillanten Redner und Autor, der sich unermüdlich dafür einsetzte, daß die Erinnerung an die Ermordeten wach blieb und sich eine solche Tragödie nie wiederholen könne. »In ihm«, erklärte das Nobel-Komitee, »sehen wir einen Mann, der sich aus äußerster Erniedrigung erhoben hat und einer unserer bedeutendsten geistigen Führer und Lehrer geworden ist.« (s. S. 93, 94, 119, 120, 121, 122).

WILLIAMS (PERKINS), BETTY (* 1943) und MAIREAD CORRIGAN (MAGUIRE) (* 1944). *1976.* Zwei junge Frauen aus Belfast, Nordirland, die die ›Peace People‹, eine gewaltlose Bewegung zur Versöhnung von Katholiken und Protestanten, ins Leben riefen und damit die Absicht verfolgten, dem Töten in dieser leidgeprüften Provinz Großbritanniens ein Ende zu bereiten (s. S. 24, 47, 103).